JN059247

科学って何のためにあるの？

科学の基本的な5つの分野がわかる図鑑

DK社 編　左巻健男 監訳　上原昌子 訳

東京書籍

Original Title: What's the Point of Science?

Copyright © 2021 Dorling Kindersley Limited
A Penguin Random House Company

Japanese translation rights arranged with
Dorling Kindersley Limited, London
through Fortuna Co., Ltd. Tokyo.

For sale in Japanese territory only.

Printed and bound in China

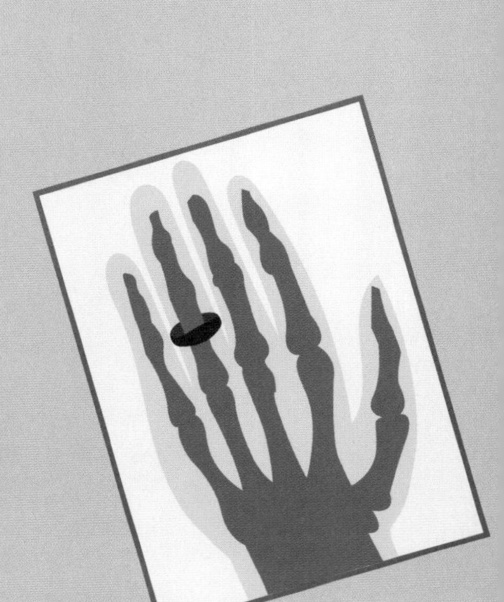

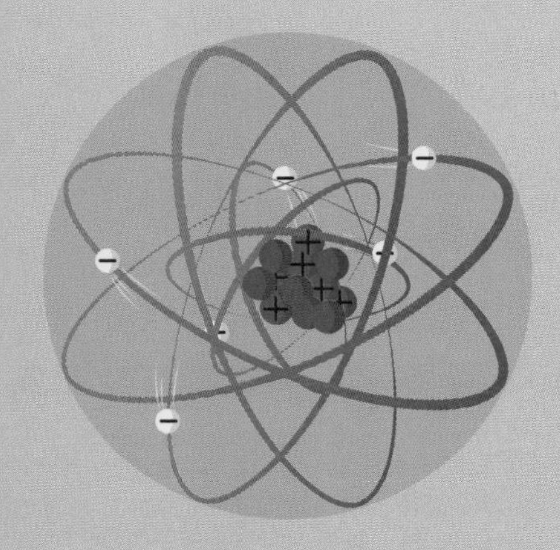

翻訳協力　株式会社トランネット https://www.trannet.co.jp/
装丁・DTP　株式会社リリーフ・システムズ
カバー印刷　図書印刷株式会社

科学って何のためにあるの？
科学の基本的な５つの分野がわかる図鑑

2022年8月26日　第1刷発行

編　者　ＤＫ社
監訳者　左巻健男
訳　者　上原昌子

発行者　渡辺能理夫
発行所　東京書籍株式会社
〒114-8524　東京都北区堀船2-17-1
電話　03-5390-7531（営業）
03-5390-7515（編集）

ISBN 978-4-487-81571-5 C0040 NDC400
Copyright ©2022 by Tokyo Shoseki Co., Ltd.
All Rights Reserved.
Printed(jacket) in Japan
出版情報　https://www.tokyo-shoseki.co.jp

禁無断転載。乱丁・落丁の場合はお取替えいたします。

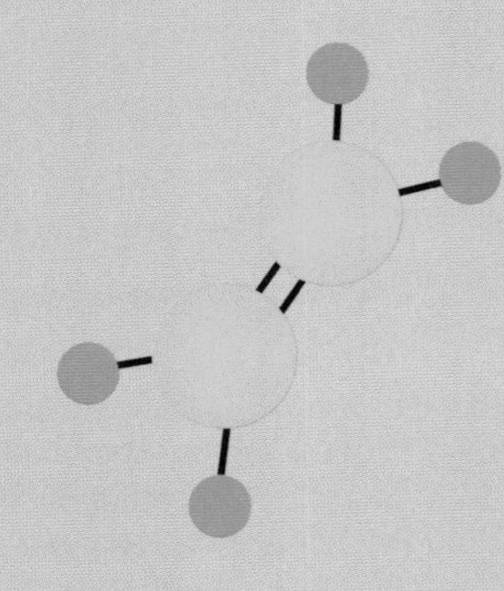

For the curious
www.dk.com

はじめに

本書は、自然（原子・分子、物質、エネルギー、生物、地球、宇宙）の科学（自然科学）を扱っています。とくに小学校で学ばないこともいっぱい出てきます。これでも取り上げられていることは自然科学全体の「ちょっと」なんです。「背伸び」をして読んでみてください。わからなくてもいいんです。3分の1くらいわかったつもりになって、あとはいろんな疑問がわけばいいんです。それが自然科学の世界の入り口に立ったということです。

監訳者　左巻健男

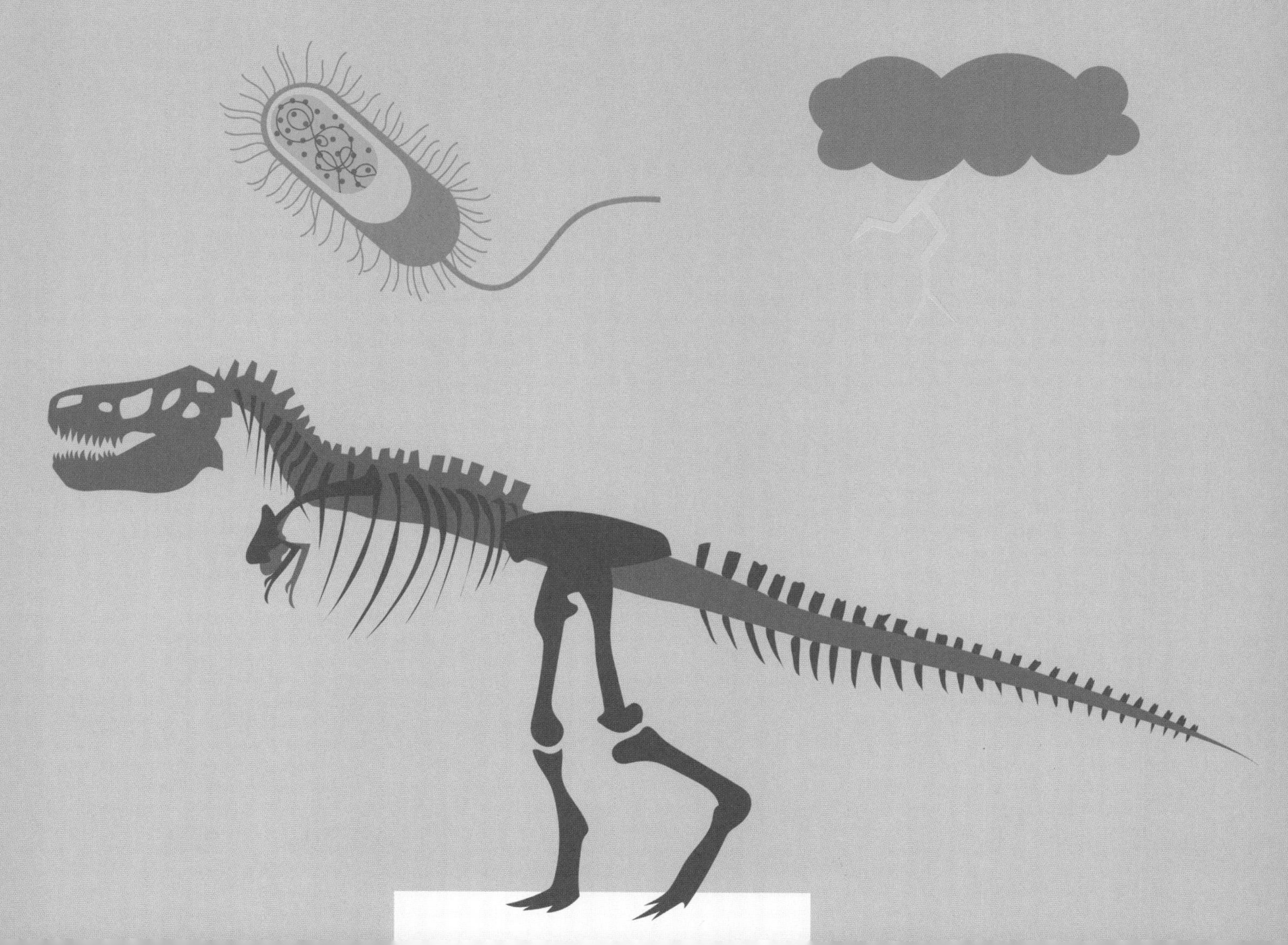

もくじ

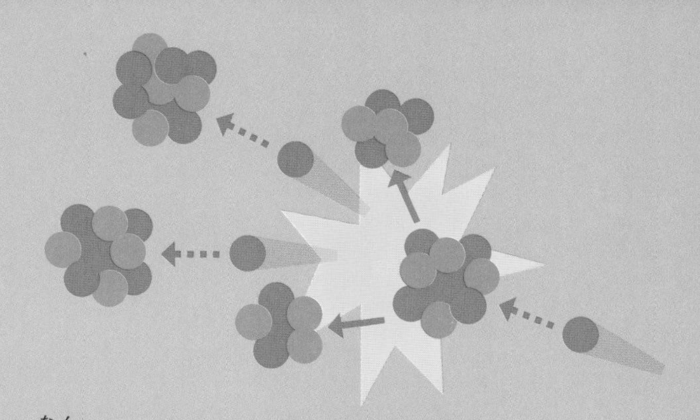

この本に出てくる年号は、西暦で書かれている。西暦というのは、キリスト教でイエス・キリストが誕生したと信じられている年の翌年（紀元）を1年として数えた年数なんだ。それより前に起こったできごとは、紀元から何年前に起こったかを「紀元前〜年」と表している。あるできごとが起こった正確な年がわからない場合は、おおよその年号のあとに「〜ころ」とつけてあるよ。

科学って何のためにあるの？

身の回りを見わたしてごらん――ごく小さな道具から、広い宇宙まで、あらゆるところに「科学」があるよ！科学は、あつかう対象によって、生物学・物理学・化学・地球科学・宇宙科学などに分かれている。科学者とは、人間を取り巻く世界と人々の生活をよりよくするため、つねに疑問をもち、その世界についてもっとよく知ろうとし続ける人たちだ。科学者たちのひたむきな努力と、つきない好奇心によって、たくさんのことがわかってきたんだよ――科学がどんなことに役立っているか、ちょっと見てみよう。

恐竜を知ること

恐竜はみんなに人気があるけれど、もしも、古生物学者や生物学者がいなかったら、恐竜やそのほかの古生物のことなんて、今でもほとんどわからなかっただろう。こうした専門家は、化石を発見してていねいに掘り出し、保存して調べることによって、恐竜がいた時代だけでなく、その前後の時代のことも明らかにしてきたんだ。

体や心を治すこと

医師、歯科医師、理学療法士、臨床心理士といった人たちは、科学をよりどころにして、人々の体や心の状態を判断し、その治療方法を見つけている。科学は、けがや病気が将来もっと治りやすくなるように、現在の治療方法をよりよくする研究のあと押しもしているよ。

地球を大切にすること

人類がふるさとである地球をどれほど傷つけているか、気づかせたのも科学者だ。世界中の科学者が協力して地球温暖化への答えを見つけ、地球上の生命を救う手助けをしてくれるだろうと、たくさんの人々が期待している。

建物をつくること

昔よりも目を引く美しい建物をつくれるようになったのは、物理学から得られる、力と物質についての知識のおかげだ。働く・学ぶ・楽しむ・生活する、といった活動をする場所は、だれにも必要だよね――こうした場所や建物を建築士や技師が実際につくる方法を考えるのに、科学は役に立っているんだ。

宇宙の秘密をさぐること

宇宙と、宇宙のあらゆるものごとや現象について、これまでに知られていることはすべて、科学者が観測をおこない、情報を集めてわかったものだ。そして、さらに多くのことを知ろうと、ここ数十年の間に巨大なロケットが打ち上げられ、宇宙探査機が地球から太陽系に送り出されているんだよ。

人の命を守ること

人類の歴史の大部分で、ウイルスや細菌による感染症をはじめ、さまざまな病気によって、世界中でものすごい数の人々が命を落としてきた。科学者や医師は、予防のためのワクチン、または抗生物質やそのほかの薬を使って、数えきれないほどたくさんの人々を救い、健康と福祉を大きく向上させてきたんだ。

生活を心地よくすること

きみたちが着ている服から、体を動かすための運動器具まで——そうそう、この本だってそうだ。日常生活で、楽しんだり、学んだり、心地よく感じたりするものは、いろいろな材料でできている。科学は、そんな新しい材料を生み出すのにも大きな役割を果たしているよ。

地球のあちこちに出かけること

何百年も前に世界中の海を船でめぐった探検家の話をするときも、飛行機に乗って海外旅行に行く現代の観光客の話をするときも、思い出してほしい。旅行や探検を、より安全に、より快適に、よりワクワクするものに変えたのは、科学者たちがいくつもの大発明をしてくれたからだ。

人を楽しませること

何か楽しいことがしたいって？　それなら科学におまかせだ！　花火から電子楽器、ビデオゲーム機まで、きみたちを楽しませるものは、どれも科学のすばらしい発明や発見のおかげで生まれたんだよ。

人間や生き物を理解すること

自分はなぜこんな姿をしているの？　人の体の中では何が起こっているの？　動物は時代とともにどうやって生きのび、変化してきたの?——科学はこのような疑問にすべて答えてくれるんだ。そして、今後思いつく数々の疑問にも、きっと答えを出し続けてくれるだろう。

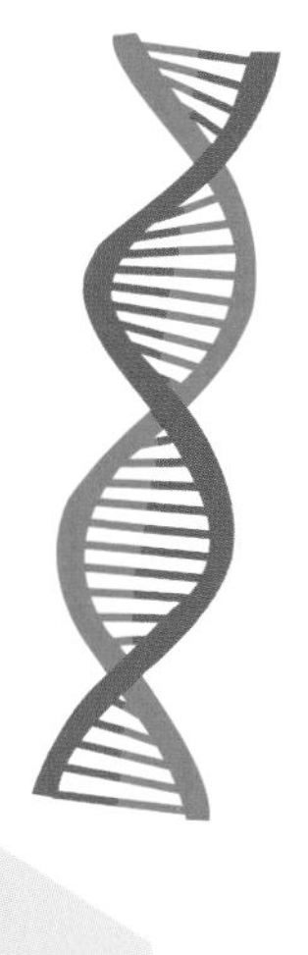

天気を予測すること

太陽がかがやく晴れか、あれくるう嵐か——どっちだとしても、科学者は天気にかかわるデータを集め、その意味を読みとって、これから先の天気を予想し、教えることができる。天気予報は、特に農業をする人々や飛行機のパイロット、船を動かす乗組員には重要なんだ。これらの仕事が安全にできるか、前もって知る必要があるからね。

食料不足を防ぐこと

世界の人口がますます増え、栄養豊富な食料になるものを育てることが、これまで以上に重要になっている。人類が、地球とその資源をめいっぱい活用できるようになるには、生物学や化学をよく理解することが大事なんだよ。

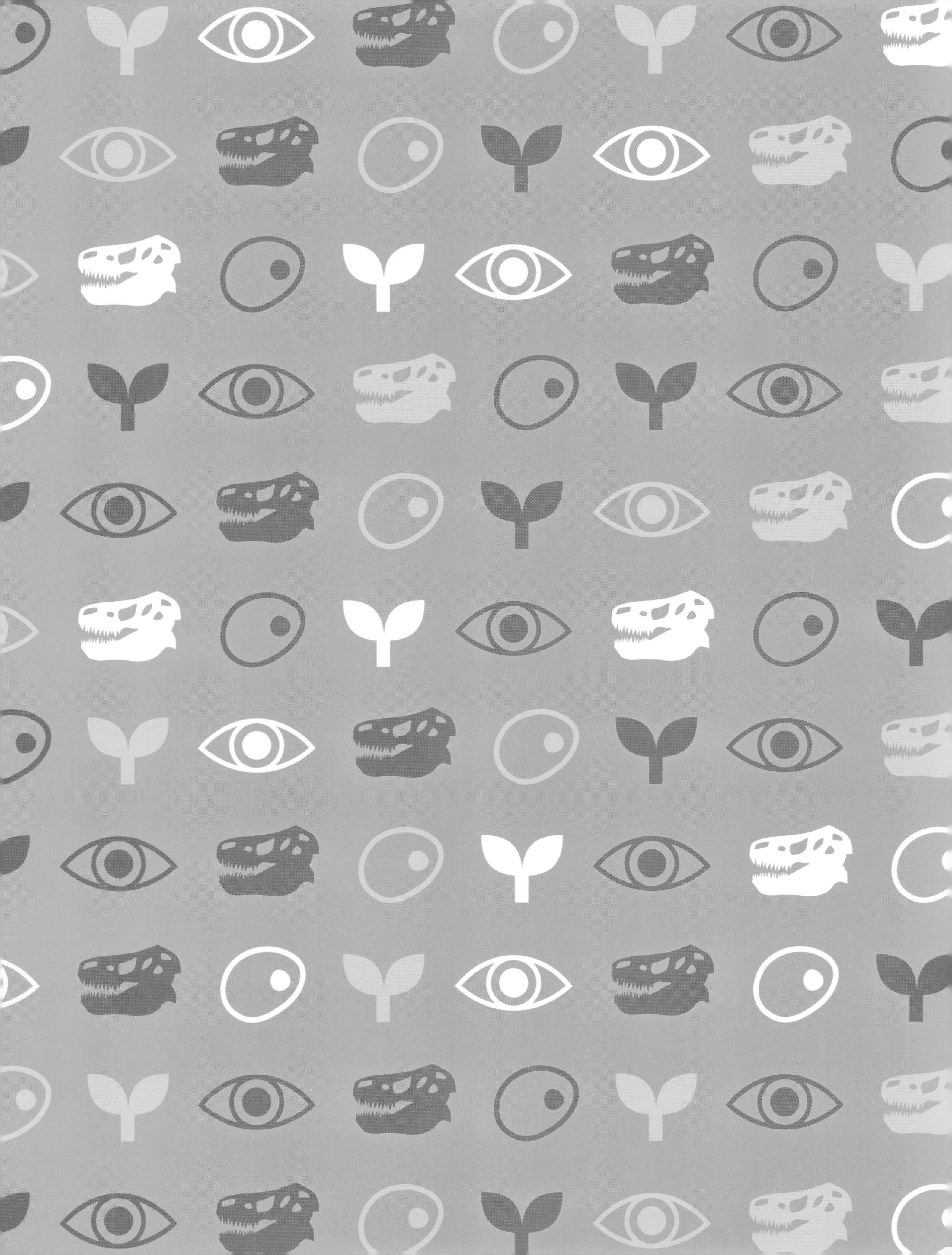

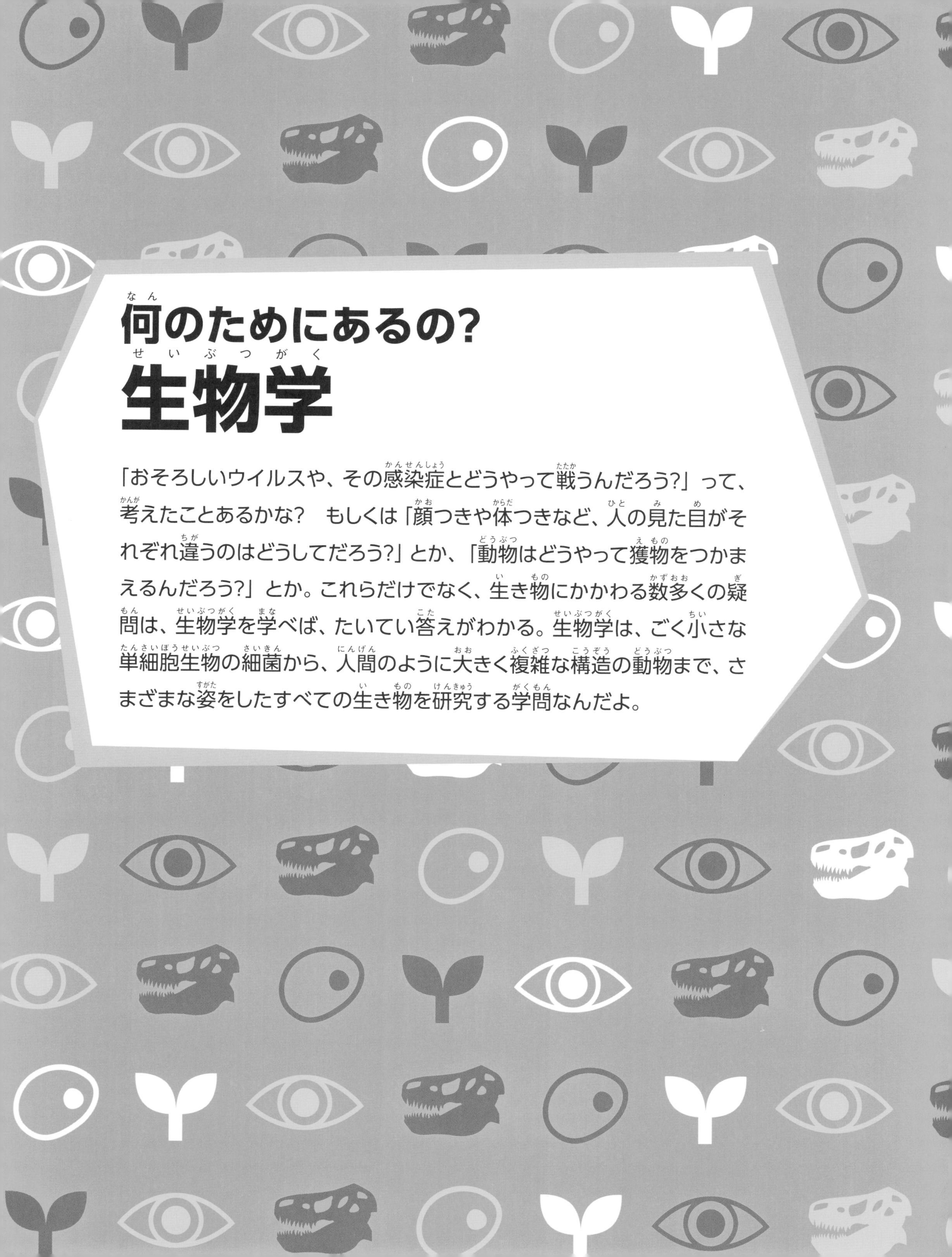

何のためにあるの？
生物学

「おそろしいウイルスや、その感染症とどうやって戦うんだろう?」って、考えたことあるかな?　もしくは「顔つきや体つきなど、人の見た目がそれぞれ違うのはどうしてだろう?」とか、「動物はどうやって獲物をつかまえるんだろう?」とか。これらだけでなく、生き物にかかわる数多くの疑問は、生物学を学べば、たいてい答えがわかる。生物学は、ごく小さな単細胞生物の細菌から、人間のように大きく複雑な構造の動物まで、さまざまな姿をしたすべての生き物を研究する学問なんだよ。

なぜ、生物学が必要なの？

生きているものなら、何かしら生物学がかかわっている。生き物を研究するのが生物学だからね。これまでに「どうして睡眠は必要なの？」とか「動物は、なぜ、その動物だけがする行動をするの？」とか「人が毎日食べる食物をつくるには何が必要なの？」などの疑問をもったことがあるかもしれない。これらの答えはもちろん、生き物にかかわる、もっとたくさんの疑問の答えを見つけたいなら、まずは、生物学の扉をたたいてみよう！

日常生活の中の生物学

生物学を研究している科学者は「生物学者」とよばれる。そして、人の体にある細胞がどんな働きをしているかといったことから、動物の巨大な群れがどのように環境に合わせ、生き残るためにどのようにたより合って生活しているのかといったことまで、あらゆることを研究している。危険な病気が現れたときや、ある動物集団が人間の行動のせいで絶滅しそうなとき、人々に最初に注意をうながすのは、たいてい、生物学者なんだ。

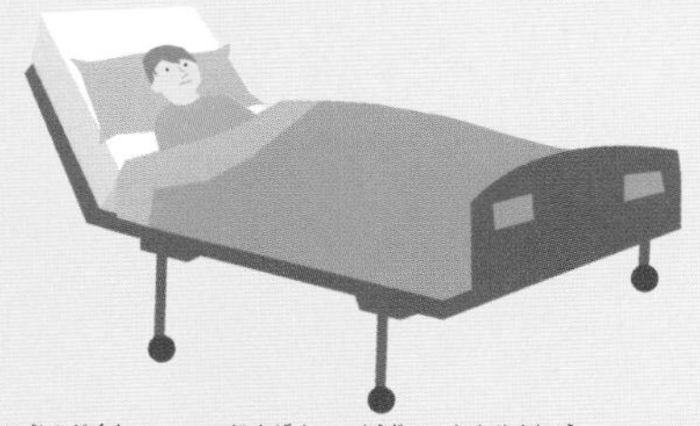

生物学者は、人間の体が感染症やそのほかの病気にどのように反応するかを研究し、その情報を治療方法の開発に生かしている。

食事・遊び・生殖（親が子どもをつくり、産むこと）・休息など、動物の行動の研究は、生物学の大きな部分をしめている。

ホントの話

もし、植物がなかったら、地球上には生き物がまったく存在しなかっただろう。植物は、太陽のエネルギーを利用して自らの食べ物（栄養分）をつくり出し、さらに動物や人間の食べ物になっている。そのうえ、人間は、植物から何かの材料をつくり出すこともできるし、植物を燃やして熱を発生させることもできるんだ。

生物学者は、生き物が環境とどのように影響し合うのか、オランウータンのような絶滅寸前の動物をどのようにして守るかといったことを研究している。

生物学者は、運動や睡眠の大切さや、体や心を健康に保つためにバランスの取れた食事をとる方法について、わたしたちが理解する手助けをしてくれる。

農学者（農業を研究する科学者）は、バナナのような健康を保つための作物や食用にする動物を育てる場合に、それぞれ一番よい方法を見つける研究などをしている。

生物学ってどういうもの？

生命が誕生するために必要な成分のことから、人間や動物や植物が（もちろん単細胞生物でも）どのように生き、成長し、子をつくり、そして死ぬかということまで、生物学は生きものの世界を説明しようとする科学なんだ。

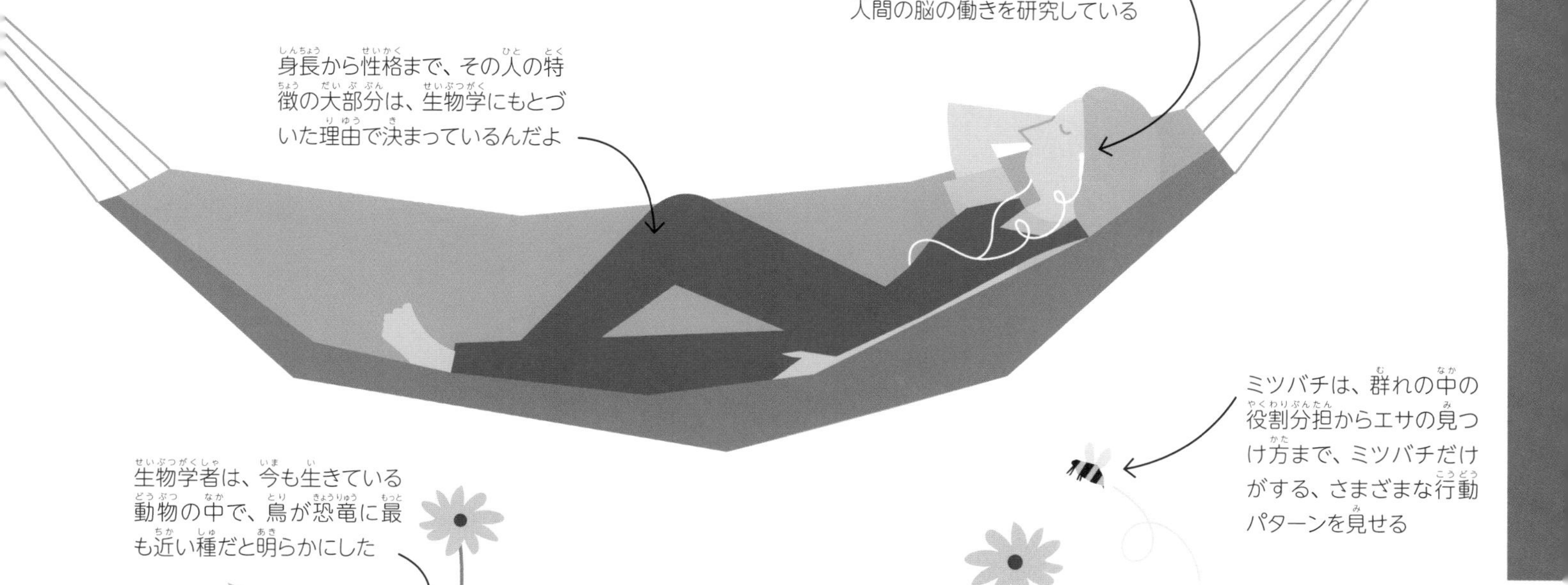

木は、太陽の光を利用して、光合成とよばれる働きを通して、自らの食べ物（栄養分）をつくり出している

生物学者は、たとえば、休そくや音楽鑑賞のように自分が好きなことをするとき、人がどう反応するかなど、人間の脳の働きを研究している

身長から性格まで、その人の特徴の大部分は、生物学にもとづいた理由で決まっているんだよ

ミツバチは、群れの中の役割分担からエサの見つけ方まで、ミツバチだけがする、さまざまな行動パターンを見せる

生物学者は、今も生きている動物の中で、鳥が恐竜に最も近い種だと明らかにした

細胞って何のためにあるの？

レンガ造りの建物がレンガを一つ一つ積み重ねてできているように、ごく小さな細菌から、十分に成長した人間まで、すべての生き物は細胞でできている。ただし、細胞は、顕微鏡を使わなければ見ることができないし、すべての細胞が同じというわけじゃない。たとえば、植物細胞には外側にしっかりとした細胞壁があり、それが細胞を守り、その形を保つ役割を果たしている。また、動物細胞にはさまざまな種類があり、それぞれ特定の働きをしているよ。

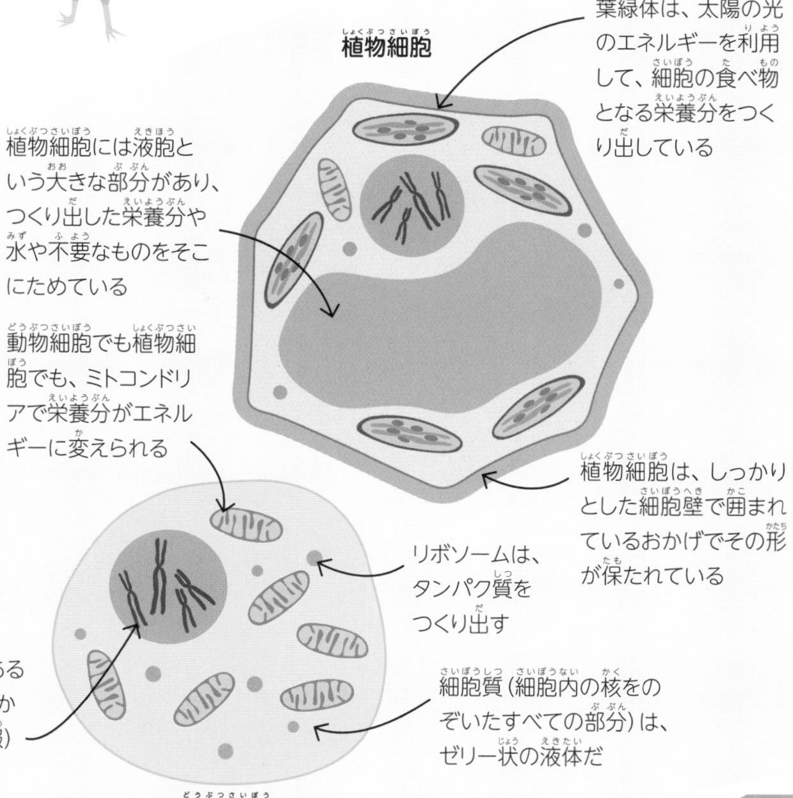

植物細胞

葉緑体は、太陽の光のエネルギーを利用して、細胞の食べ物となる栄養分をつくり出している

植物細胞には液胞という大きな部分があり、つくり出した栄養分や水や不要なものをそこにためている

動物細胞でも植物細胞でも、ミトコンドリアで栄養分がエネルギーに変えられる

植物細胞は、しっかりとした細胞壁で囲まれているおかげでその形が保たれている

リボソームは、タンパク質をつくり出す

動植物すべての細胞にある細胞核は、遺伝情報（親から子へ受け継がれる情報）をしまっている場所だ

細胞質（細胞内の核をのぞいたすべての部分）は、ゼリー状の液体だ

動物細胞

大昔のことをどうやって知るの？

何かの生き物が死んだとき、条件がそろえば、化石が残る場合がある。それは、何百万年もの間、岩石の中に保存された死がい（死んだ体）のあとだ。化石掘りのメアリー・アニングは、イギリスのイングランドにあるライム・リージス村で、海岸沿いのがけを探し回り、化石を見つけて掘り出しては収集家に売る生活をしていた。ところが、そんなメアリーによる画期的な発見が、地球上の生命の歴史に対する科学者の考え方を大きく変えるきっかけになったんだ。

1 子どものころ、メアリーと兄のジョセフは、父親の仕事を手伝い、アンモナイトやベレムナイトの化石を集めていた。この一家は、“珍品”（めずらしいもの）といわれるようなものを見つけて収集家に売ったお金で生活していた。でも、それらが本当は何なのか、正確にはだれも知らなかった。

2 1811年のある日、12歳のメアリーと兄のジョセフは、骨の化石を見つけた。それは、これまで見つけたことのないものだった。その後、メアリーが残りの化石をていねいに掘り出してみると、それは体長5メートルの動物の骨格だった。なんと、メアリーは、謎めいた動物イクチオサウルスの完全な姿の化石を世界で初めて掘り出したんだ。

3 1823年、メアリーは、今度はプレシオサウルスの化石をまるごと発見した。またもや、この種の完全な姿の化石発掘は世界初のことだった。時がたつにつれ、そこでたくさんの化石が見つかることから、この地域は化石掘りや科学者から「ジュラシック・コースト（ジュラ紀の海岸）」とよばれるようになったんだ（ジュラ紀は恐竜がいた古い時代）。

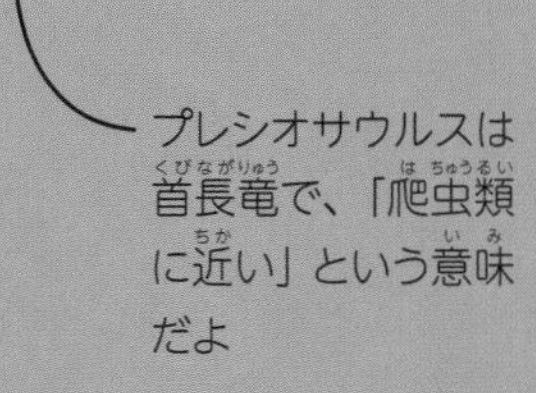

もっとくわしい科学の話

大昔の地層と化石

メアリー・アニングの化石発掘は、地質時代といわれる記録のない大昔の動物について理解を進ませ、その化石がどんな動物で、いつの時代に生きていたのかを突き止める方法の発展にも大きな役割を果たした。今では、一つの岩体では、ふつうは深いところにうまっている化石ほど、時代が古いと知られている。下の表は、地質年代表の一部だ。地質年代は地質時代を細かく区分したもので、現在から「何百万年前」で表されるよ。

代	紀	できごと
新生代（6600万年前～現在）		哺乳類の種類が増える
中生代	白亜紀（1億4500万～6600万年前）	恐竜が絶滅する 花を咲かせる植物が現れる
	ジュラ紀（2億100万～1億4500万年前）	鳥類が現れる 恐竜の種類が増える
	三畳紀（2億5200万～2億100万年前）	哺乳類が現れる 恐竜が現れる
古生代	ペルム紀（二畳紀）（2億9900万～2億5200万年前）	爬虫類の種類が増える
	石炭紀（3億5900万～2億9900万年前）	爬虫類が現れる
	デボン紀（4億1900万～3億5900万年前）	両生類が現れる
	シルル紀（4億4400万～4億1900万年前）	陸上植物が現れる
	オルドビス紀（4億8500万～4億4400万年前）	海洋生物の種類が急に増える
	カンブリア紀（5億3900万～4億8500万年前）	魚類が現れる
原生代後期（新原生代）（10億～5億3900万年前）		多細胞生物が現れる

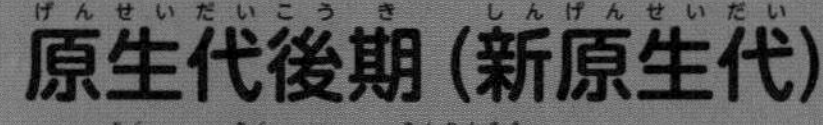

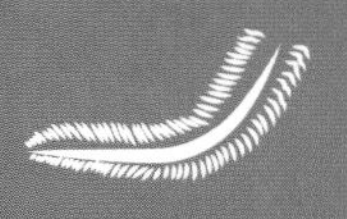

化石はどうやってできるの？

死んだ生き物がすべて化石になるわけじゃない。本当は、とんでもなく長い時間がかかる、めったに起こらないプロセスなんだ。岩石の中に死がいのあとが残るためには、ちょうどよい条件がそろわなければならない。さらに、何百万年後にだれかに発見されて、ていねいに掘り出されなければならないんだからね。

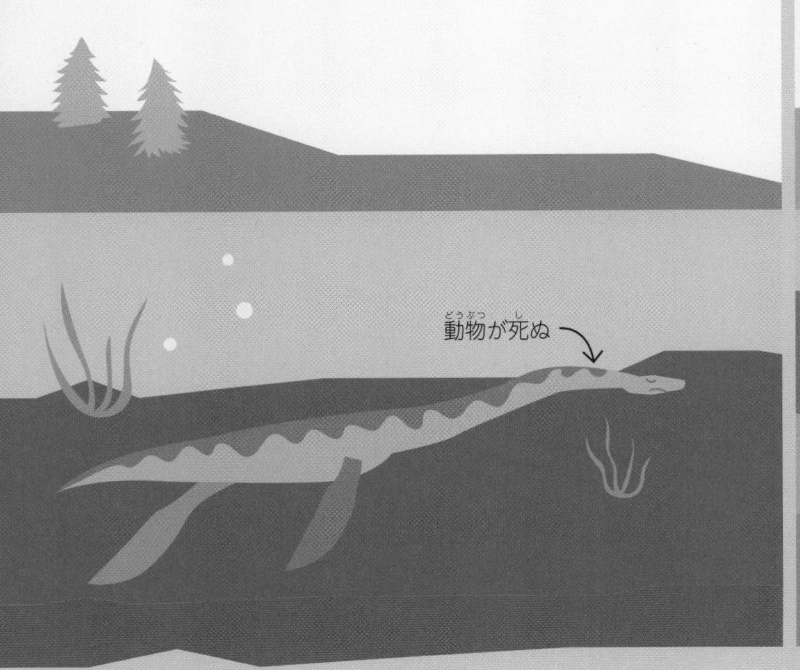

化石は堆積岩の中でしか見つからない

動物の歯や骨だけが残る

1 ある動物が死んだとき、体がすぐに砂やドロのようなものですっかりおおわれた場合にかぎり、化石になる可能性がある。うまった死がいは、よりゆっくりと腐っていく。

2 その動物の軟組織（皮膚や筋肉など、やわらかい部分）が腐って骨格が現れ、堆積物とよばれる、岩石や鉱物の粒でおおわれる。時がたつとともに、こうした岩石の小さな粒が積み重なり、押しかためられて堆積岩という岩になる。

ホントの話

恐竜の羽毛

科学者たちは、長い間、すべての恐竜にワニやトカゲのようなうろこがあると考えていた。でも今では、恐竜の中には、体が羽毛でおおわれているものもいたことがわかっている。恐竜の羽毛は、2016年に琥珀（木の樹脂が化石になったもの）に閉じ込められた状態で発見されたんだよ。

ねえ、知ってる？

うんちの化石もあるんだって！

化石は、恐竜やそのほかの動物の死がいだけじゃない。植物や卵や足あとだって化石になるんだ。科学者たちはうんちの化石も見つけているよ。これは「糞石」として知られているんだ。

3 岩石中の鉱物をとかしこんだ水分が骨にしみこみ、ついには骨をとかし、水がしぼり出されると鉱物が残る。これが岩石の中で、骨の形をした石、つまり化石になるんだ。

4 長い年月がたつうち、岩石や土地の一部が雨風や波などでけずりとられたり（侵食）、地中深いところにあった古い年代の岩石が高く盛り上がったり（隆起）することがある。すると、化石がより地面に近いところにきて、古生物学者たちに発見されやすくなるんだ。

化石発見の影響

メアリー・アニングやほかの古生物学者たちが発見した化石は、地球の歴史についてのそれまでの知識をすっかり変えてしまった。化石のおかげで、人間が地球に現れた時代よりも何百万年も前の時代にさかのぼることができるんだ。大昔のすばらしい化石は、進化論の具体的な証拠となり、人々に地球の歴史を学ぶ意欲をもたせ、地質時代の生物についてもっとたくさんのことを発見しようと、科学者を研究にかりたてているんだよ。

どうやって
ウイルスとたたかうの？

人類の歴史の大部分を通じて、病原体（病気を起こす微生物）によって広がる病気（感染症）で人々のほぼ半数が命を落としてきた。なかでも特にたくさんの命をうばったのが、天然痘だ。これは人の呼吸によってまき散らされる、天然痘ウイルスという病原体が引き起こす病気だった。天然痘のせいで、数え切れないほどたくさんの人々が死んだり、目が見えなくなったりしていたんだよ。でも、1796年にイギリスの医師がこの病気を安全に予防する方法を見つけたんだ――それが、ワクチン接種だ。おかげで、1980年までに、天然痘は全世界から完全になくなったんだよ。

1 およそ500年前の中国では、症状の軽い天然痘にかかると、次に天然痘にかかったとき、重症になりにくい場合があると気づいていた。そこで、医師たちは天然痘になった人の皮膚にできた“かさぶた”を人々の鼻に吹き入れ、わざと感染させた。この方法は一部の人には予防効果があったけど、多くの人が本当に病気になって死んでしまった。

2 1700年代までに、ヨーロッパの医師たちは、もう少し安全に天然痘を防ぐ方法を見つけた。“かさぶた”を使って、人の皮膚から感染させることにしたんだ。ロシア皇帝のエカチェリーナ2世は、この予防接種を受けて2週間は体調が悪かったけれど、重い病気にはならず、予防効果がみられた。

3 1700年代後半、イギリスのエドワード・ジェンナーという医師は、牛の乳しぼりをしている女の人が天然痘にかからないことに気がついた。そして、女の人たちが牛から牛痘（天然痘に似ているけど、ずっと危険の少ない病気）に感染しているからではないか、と考えたんだ。

4 1796年、ジェンナーは、牛痘にかかった人から取った発疹のウミをある少年の腕の傷にこすりつけた。その後、わざと天然痘に感染させると、少年には症状が現れなかった。つまり、その子は「免疫」をもっていた。め牛はラテン語で「vacca」。それで、感染症予防で使われる、毒性を弱めた病原体を、英語で「vaccine」というようになった。日本語では「ワクチン」というよ。

もっとくわしい科学の話

ウイルスが増えるしくみ

ウイルスはものすごく小さな病原体で、ふつうの“かぜ”から“水ぼうそう”や“狂犬病”、“新型コロナウイルス感染症（COVID-19）”まで、さまざまなたくさんの病気を引き起こす。といっても、自分では増えることができず、ほかの生き物の細胞を乗っ取って、自分そっくりのウイルスをつくらせることで仲間を増やしているんだよ。

人の体に入りこんだウイルスは、自分の表面にある「抗原」とよばれる分子を使って、ちょうどよい細胞を見つけて、その細胞にくっつく。

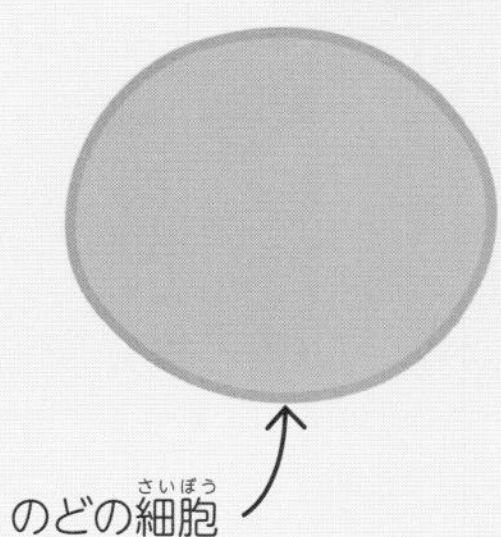

ウイルスは、DNA分子（または関係するRNA分子）の形で、自分の遺伝子をその細胞に入れる。

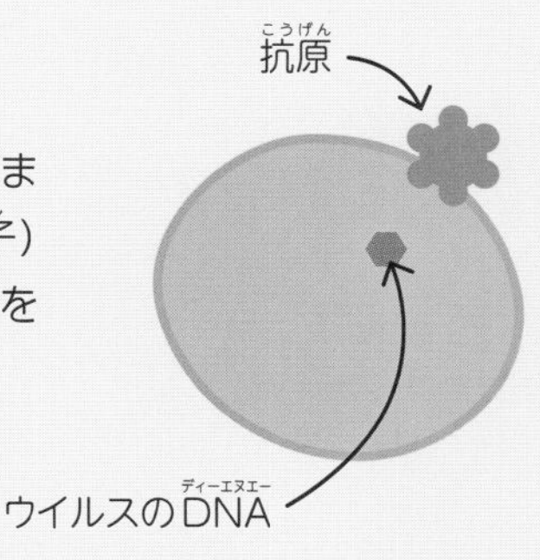

ウイルスの遺伝子が細胞を乗っ取り、細胞にそのウイルスの抗原と遺伝子のコピー（複製）をつくらせ始める。

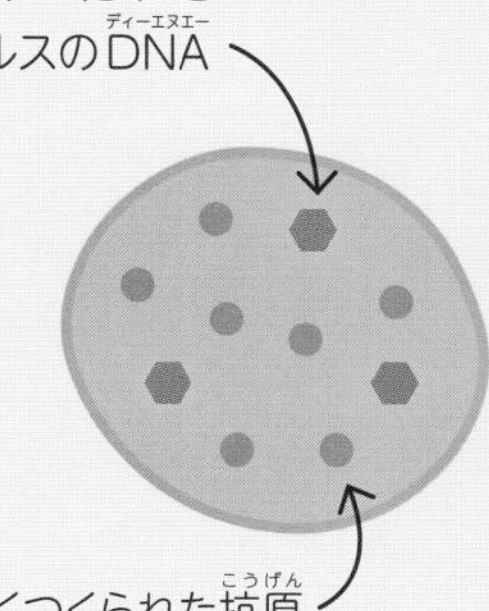

細胞は、コピーされた抗原と遺伝子の働きで、大量のウイルスをつくり出す。新しくつくられたウイルスは細胞をこわして外へ飛び出し、次に侵入する別の細胞を探しにいく。

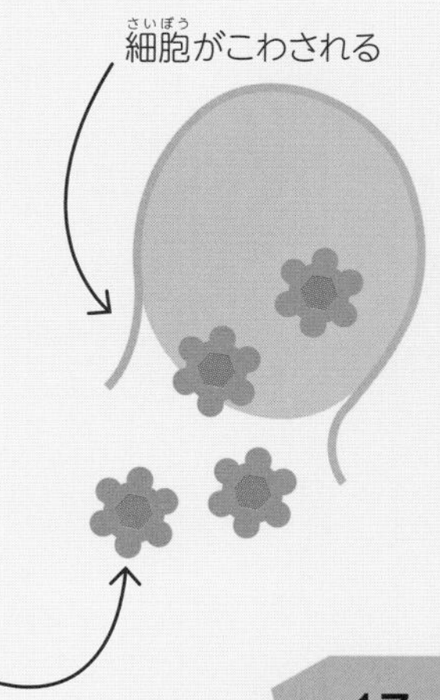

ワクチンのしくみ

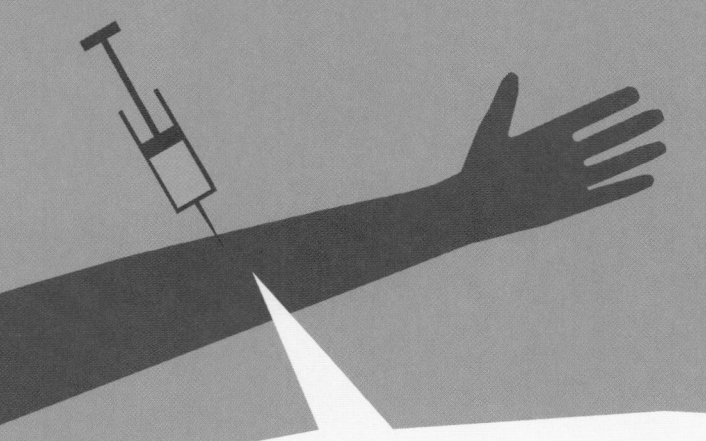

ワクチンは、きみたちの体の「免疫系」というシステムを刺激することによって効果を発揮する。免疫系は、たえず新たな病原体を探して「抗体」とよばれる物質で攻撃するんだ。このとき、免疫系は体への“侵入者”を記憶する「記憶細胞」もつくり出す。そして、もし、また同じ病原体がきみたちを感染させようと体に侵入してきたら、記憶細胞がすばやく攻撃を開始するため、病原体は、きみたちの具合が悪くなる前に壊されてしまう――これが「免疫をもっている」ってことなんだ。

1 たいていのワクチンは、毒性を弱めた病原体で、表面に元の病原体と同じ抗原の分子がある。ワクチンが体に入ってくると、白血球の一部の細胞は抗体を使ってそれらの抗原とぴったりとつながろうとする。そこで、何千ものさまざまなタイプの抗体をつくり、ついに抗原にぴったり合う抗体を見つけるんだ。

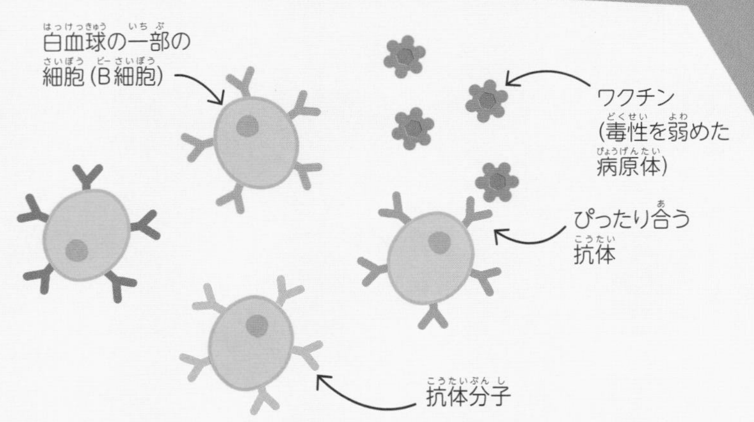

2 ぴったり合う抗体ができると、それをきっかけにその細胞が分裂して、同じ抗体をもつ何百万もの新しい細胞ができる。これらの細胞が大量に放出した抗体は、体の中を移動して病原体の抗原にぴったりとつながる。すると、食細胞とよばれる細胞に対して、のみこむものを教える目印として働くようになるんだ。食細胞は、のみこんだものを消化してやっつけてしまうんだよ。

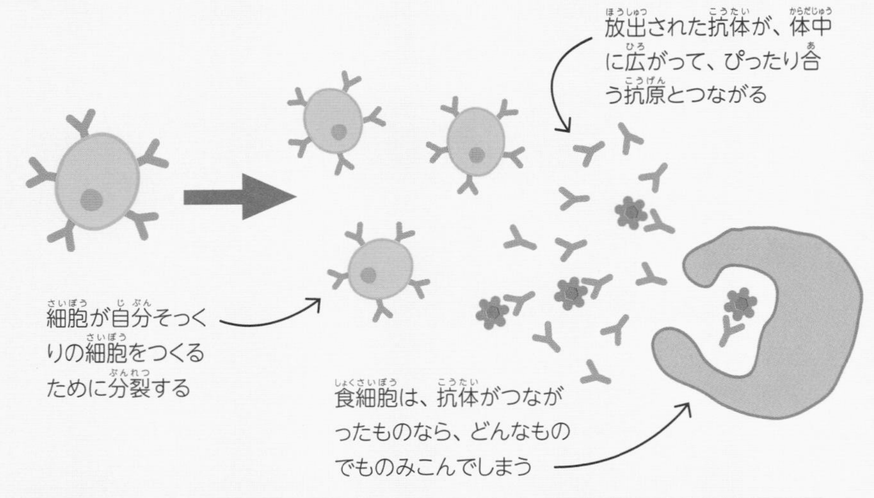

3 ぴったり合う抗体をつくり出すことに成功した細胞は、記憶細胞もつくる。記憶細胞は数年間、体の中に残り、同じ病原体がまた侵入してきたとき、いつでも、よりすばやく攻撃を始められる準備をしている。つまり、記憶細胞が体に免疫をもたせているんだ。

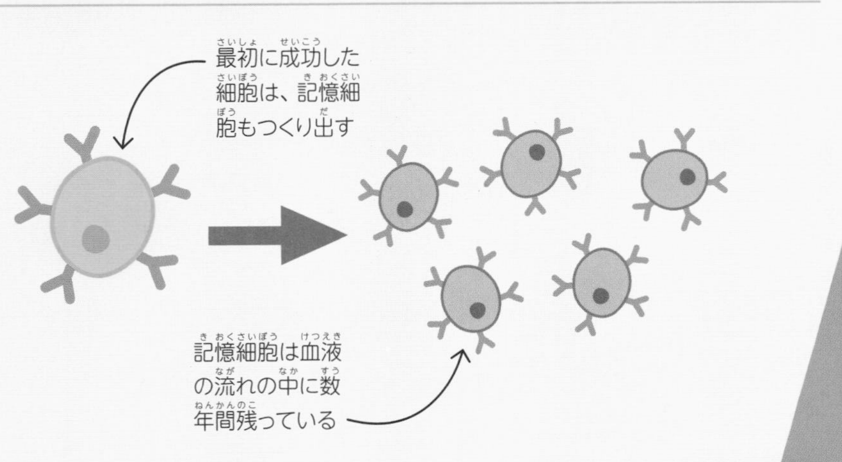

ねえ、知ってる?

ウイルスの変異

インフルエンザのようなウイルスは、すぐに進化する可能性がある。これは、ウイルスの遺伝子が変化する「変異」という現象が起こるからだ。たとえば、変異が起こって、あるウイルスの抗原の形が変わったら、人の体に残っていた抗体は、もうそのウイルスの抗原とは合わなくなる。つまり、その人は免疫がないことになるんだ。だから、同じ人が毎年のようにインフルエンザにかかることがあるんだよ。

ホントの話

新型コロナウイルス感染症の大流行

2019年12月、世界保健機関（WHO）は、特定の地域で、これまでになかった、命にかかわる重い肺の新しい病気が発生していることを知った。この新型コロナウイルス感染症（COVID-19）のパンデミック（大流行）は世界中に広がり、何百万人もの命をうばった。科学者たちは1年もたたないうちに少なくとも3種類の効果的なワクチンを開発した。それでも、変異は起こるため、このウイルスが完全に消えてなくなることはないかもしれない。

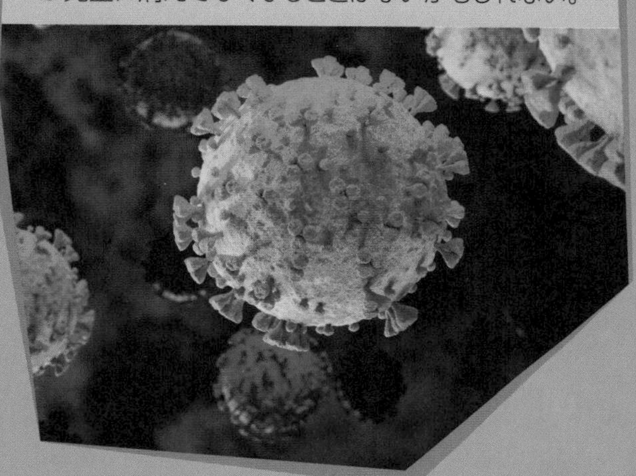

はしか
530,217件

天然痘
29,005件

ポリオ
16,316件

おたふくかぜ
62,344件

風疹
47,745件

米国での1年間の病気の数
（1910年）

なぜ、ワクチンは重要なの?

ワクチンは毎年数えきれないほどたくさんの人々の命を救っている。「はしか」という病気のワクチンだけでも、2000年から2016年までの間に世界中の2,000万人の子どもたちの死を防いだと考えられているんだ。ワクチンによって完全になくなった病気はほとんどないけれど、かつてはよく見られた多くの病気が、今ではめったにかからない病気になっているんだよ。

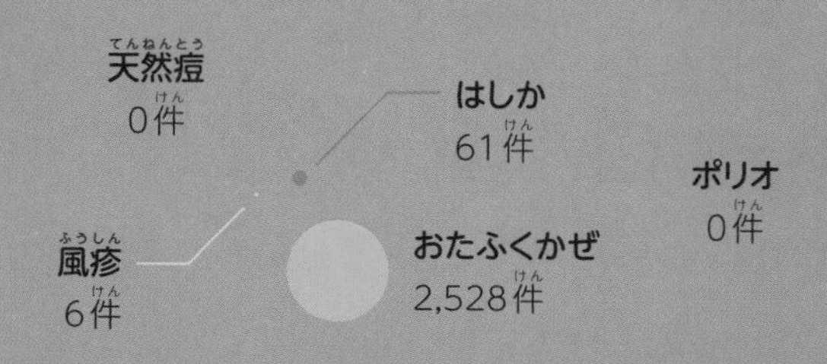

米国での1年間の病気の数
（2010年）

1 何千年もの間、人間は知らず知らずのうちに遺伝子に影響を与えてきた。たとえば、動物や植物を育てるとき、よいものを選んでその子孫を増やすこともそうだ。これは、次の世代が価値のある形質を受け継ぎ、よくない形質を受け継がないように、手を加えているんだよ。

2 グレゴール・メンデルは、形質がどのように受け継がれるのか調べる研究を1850年代に始めた。修道士だったメンデルは、まず、修道院の庭でエンドウマメを使って実験することにした。エンドウマメを選んだのは、早く成長し、種をたくさんつくり、はっきりと違いがわかる特徴があり、管理された単純な環境で増やすことができ、どのように子に形質を伝えるかを発見しやすいからだ。

メンデルは、ある株のおしべから別の株のめしべに花粉をこすりつける方法で、交配（異なる個体どうしの受粉や受精）を自分の手でおこなった

人の見た目の特徴はどうやって決まるの？

きみたちの顔つきや体つきなど、見た目の特徴が、家族と似ていることが多いのには理由がある。それは、生き物には親から子に受け継がれる生まれつきの特徴（形質）があるからなんだ。そしてそのカギをにぎるのが遺伝子だ。ある世代から次の世代に形質がどのように引き継がれるかを研究する学問は、遺伝学とよばれているんだよ。遺伝については昔から知られていたけれど、そのしくみを説明したのは、チェコ生まれの修道士（修道院で生活する男の人）の実験だった。

3 メンデルは8年間で約29,000株のエンドウマメを育て、何世代にもわたって、さや・豆・花の色のように、はっきりとわかる形質に注目した。そして、形質が“混ざる”ことはないということを発見した。たとえば、白い花のエンドウマメは、紫色の花のエンドウマメと交配させても、うす紫色の花の株ができることはなかったんだ。

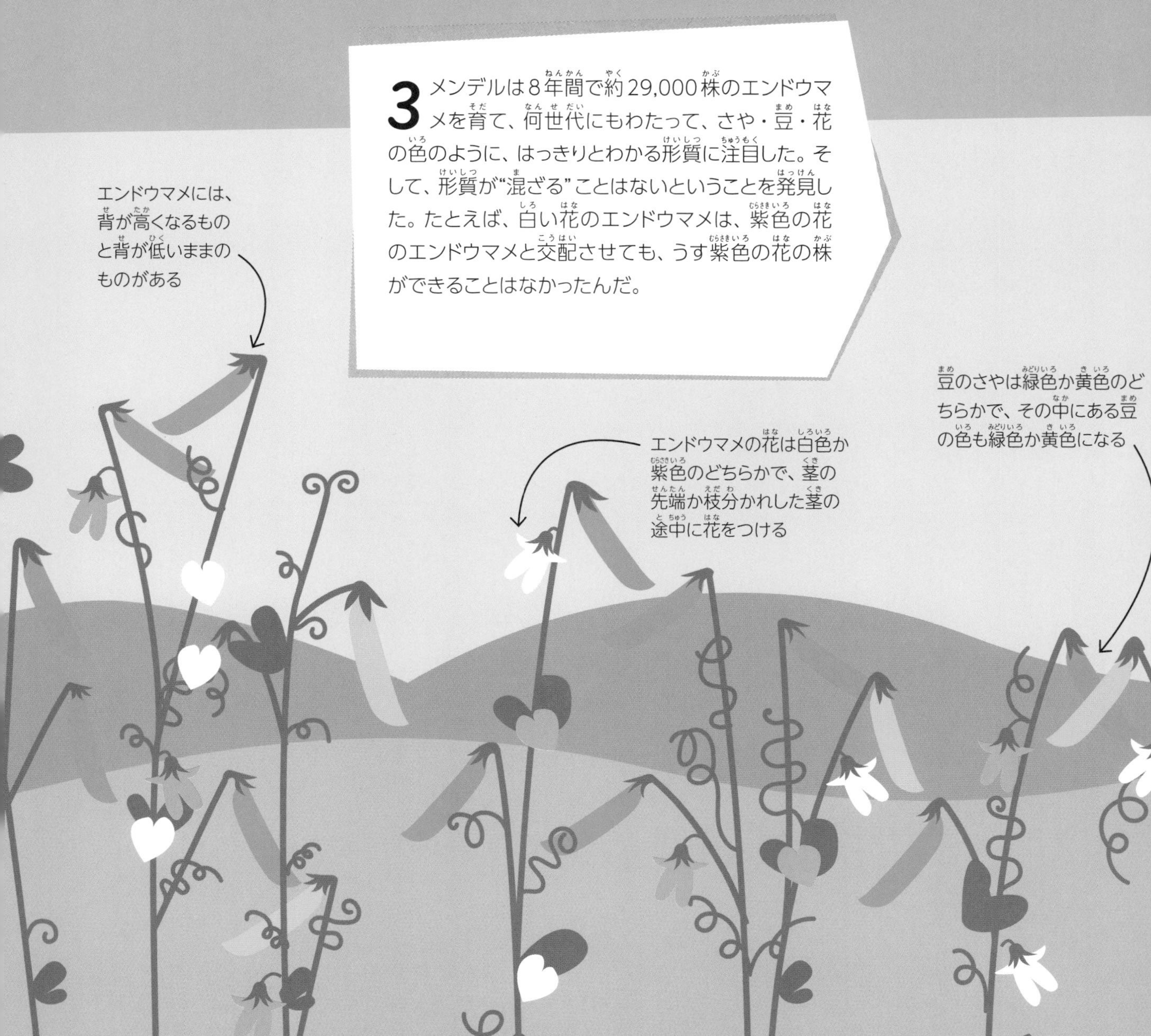

メンデルが、必ず緑色のさやができる株と必ず黄色のさやができる株を交配させたところ、次の世代は必ず緑色のさやができる株になった

そうやってできた緑色のさやができる株どうしをたがいに交配させると、次の世代は緑色のさやの株と黄色のさやの株が3対1の割合で生まれた

第一世代（子世代）

第二世代（孫世代）

4 メンデルは、エンドウマメの特定の形質が、世代が変わると変化することがあり、世代をとばして現れる形質もあれば、ほかの形質よりもよく現れる形質もあることを発見した。特定の形質が、子孫に現れやすい顕性形質（優性形質）なのだとメンデルは考えたんだ。

遺伝子の働き

メンデルは、それぞれの親があらゆる形質に対して２通りの粒子をもっていて、子世代それぞれにそのうちの１つの粒子を与えるのではないかと考えた。現在では、この“形質を表す粒子”に相当するものを「遺伝子」とよんでいる。また、緑色のさやのように、ほかの形質の型よりも現れやすい顕性形質（優性形質）と、黄色のさやのように現れにくい潜性形質（劣性形質）がみられることがある。このように反対のタイプの形質を決める遺伝子は「対立遺伝子」というよ。

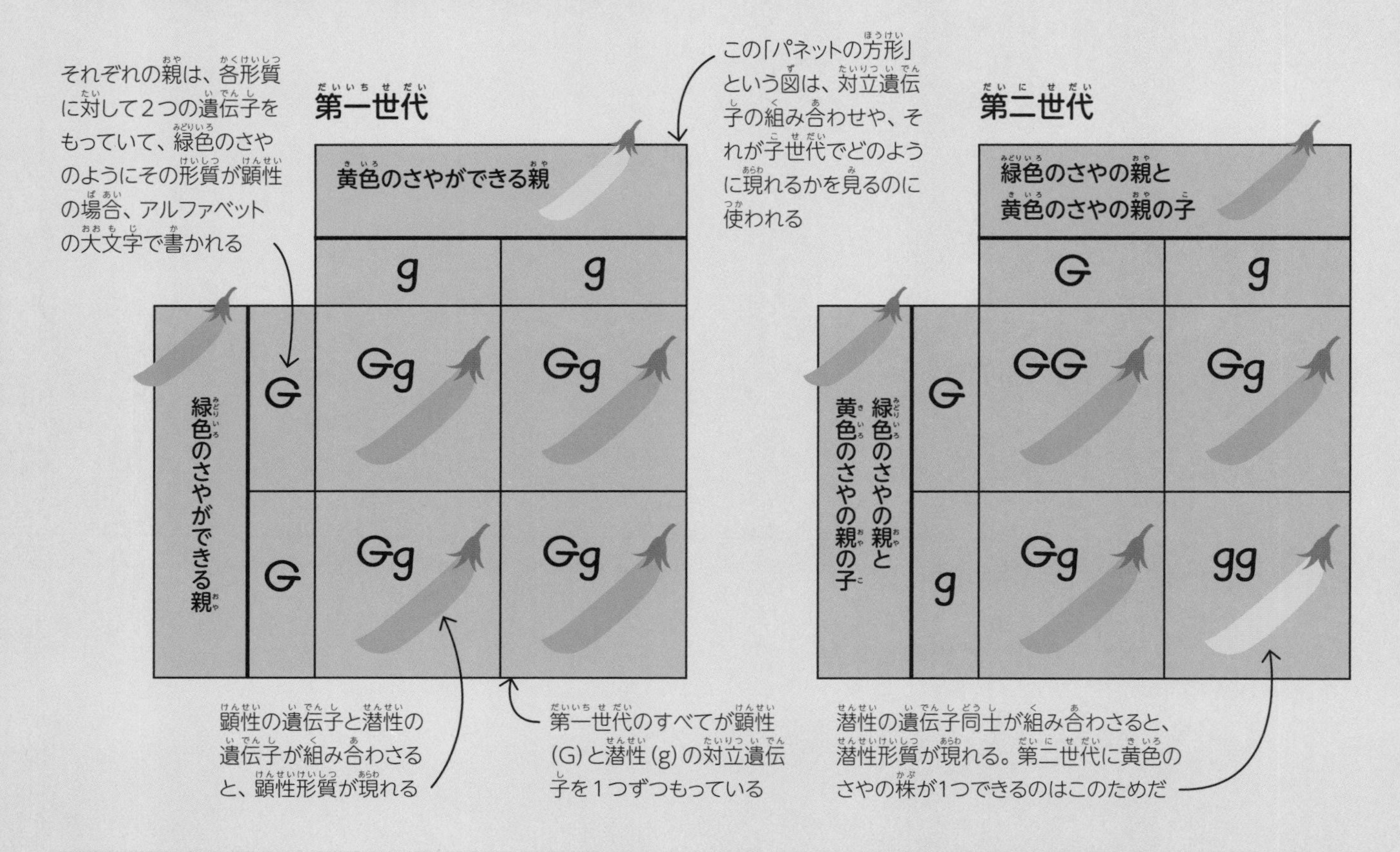

選択的な交配

現在では、このような遺伝子についての知識を利用して、価値のある形質をもつものを選んで、子を増やし育てる技術が向上している。動植物の子を増やす仕事をする人たちは、より望ましい形質をもつ親を選んだ。たとえば、よりたくさんの毛が取れる羊や、より大量に収穫できる農作物が生まれるように、選択的に交配させて子世代をつくって育てている。また、害虫や病気に強い形質をもたせるために動植物を選択的に交配させることもあるんだ。このようなことは、人間が生産できる食べ物の量にとても大きな影響を与えているんだよ。

病気に強い植物や動物を育てれば、食べ物の生産量が増える

家畜はより大きく育つように選択的に交配されることもあり、それが、より大量の肉の生産につながる

農作物は、より健康的に、よりおいしく、より見ばえがよくなるように選択的に交配される

親と似ているところと違うところ

人間の遺伝は複雑で、エンドウマメのように簡単に予測することはできないよ。これは、人の形質の一つ一つが、たいてい、複数の遺伝子でコントロールされているからなんだ。また、これまで見てきたように、特定の形質が一世代とばしてその次の世代にだけ現れる場合もある。たとえば、子どもの目の色のような特定の形質についてなら、親の目の色という形質にもとづいておおまかな予測をすることくらいしかできないんだ。

ホントの話

遺伝指紋法（DNA鑑定）

すべての人の遺伝子は違う。ということは、ちょうど指紋と同じように、その人がだれなのかをみきわめるのに使えるということだ。警察は、遺伝子科学を利用して、事件現場に残された、だ液や髪の毛を分析し、犯人がだれなのかをわり出しているんだよ。

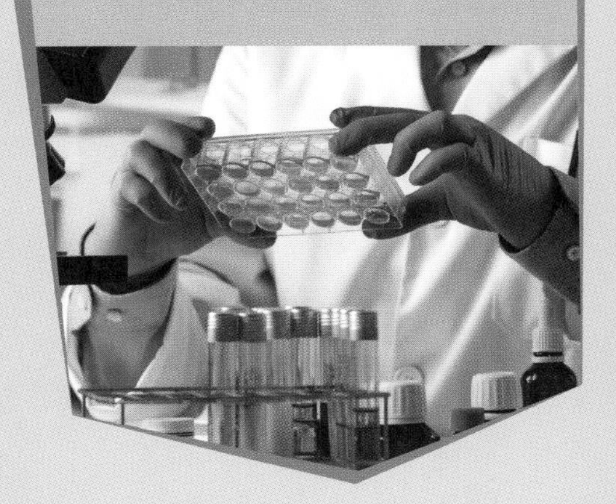

親1	親2	子どもの目の色とそれが現れる確率		
	+	= 75%	18.75%	6.25%
	+	= 50%	37.5%	12.5%
	+	= 50%	0%	50%
	+	= 1%未満	75%	25%
	+	= 0%	50%	50%
	+	= 0%	1%	99%

片方の親が茶色の目、もう片方の親の目が青色の目なら、子どもの目が茶色になるか青色になるかは同じ確率だ

また、片方の親の遺伝子が子どもにコピーされるとき、ちょっとした間違いが起こることがあり、それで違う形質になることもある。人によって、たまに顔や姿がどちらの親とも似ていなかったり、両親にはない特定の形質（たとえば背の高さ）が見られたりするのはこのためだ。親と違う形質はその人の遺伝情報の一部になり、将来、子どもができたとき、それが引き継がれる可能性があるんだよ。

この女の人の背の高さにかかわる遺伝子は、この人の両親のものとは明らかに違う

たくさんの命をどうやって救うの？

第一次世界大戦中、１千万人近くの兵士が命を落とした――でも、そのすべてが戦いで殺されたわけじゃない。体に負った傷に「細菌」とよばれる微生物が感染し、それが原因で死んだ人がたくさんいたんだ。何千年もの間、ほんの小さな傷からでも細菌が感染し、人間を死なせてきた。でも、そういった歴史をすっかり変えたのは、まったくの偶然による、ある発見のおかげだったんだ！

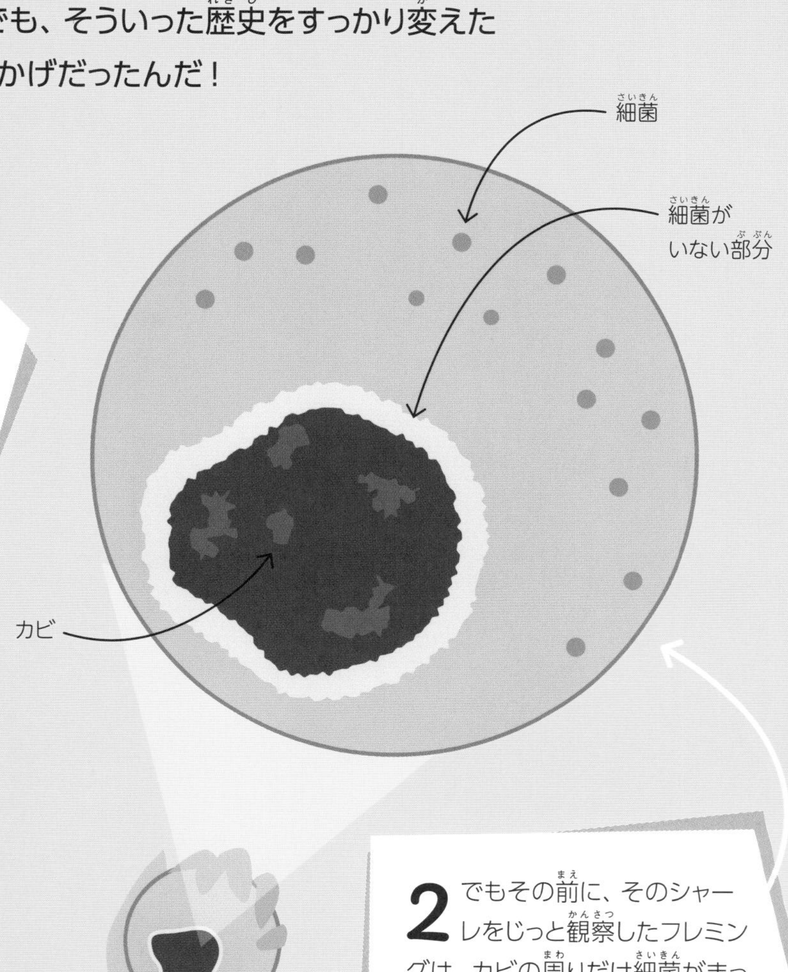

1 1928年、イギリスのスコットランドの科学者、アレクサンダー・フレミングは、自分の研究室を片づけていたとき、それまで研究してきた、細菌が入った古いシャーレ（実験用の平皿）の中に、カビの大きなかたまりができているのを見て、捨てようとした。

2 でもその前に、そのシャーレをじっと観察したフレミングは、カビの周りだけ細菌がまったくいないことを見つけた。そして、そのカビが細菌を殺しているんだと気がついたんだ。

3 フレミングは、細菌と戦う“武器”を偶然発見したかもしれないと考え、すぐに研究チームをつくった。数週間後、研究者たちは細菌を殺した真菌（カビ）が“細菌をやっつける物質”を出していることを発見した。フレミングはそのカビの名前にちなんで、その物質を「ペニシリン」と名付けた。それは世界初の抗生物質の発見だった。

4 実際に使える薬にするには、カビから純粋なペニシリンだけを取り出すこと、大量につくり出せることの2つが必要だった。でも、やってみると、これらを実現するのはとても難しいことがわかったんだ。それでも、その12年後、オックスフォード大学の科学者たちが、注射で打つ薬（抗生剤または抗菌薬というよ）として開発に成功したんだよ。

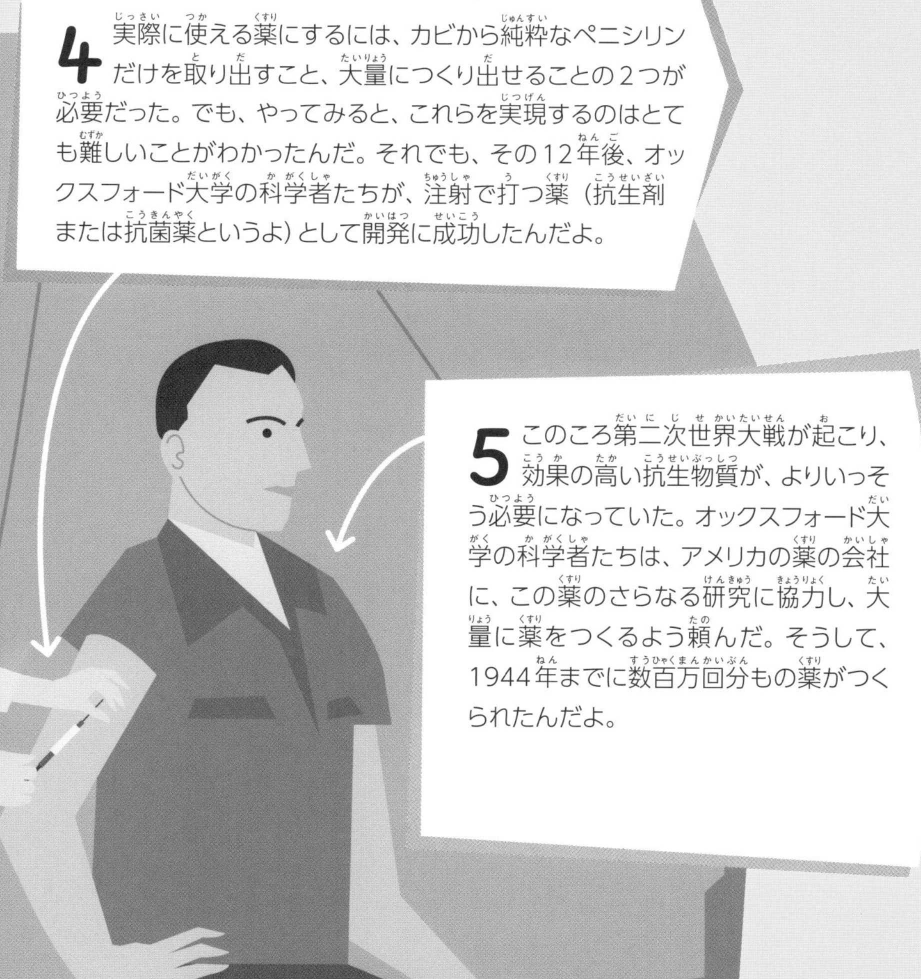

5 このころ第二次世界大戦が起こり、効果の高い抗生物質が、よりいっそう必要になっていた。オックスフォード大学の科学者たちは、アメリカの薬の会社に、この薬のさらなる研究に協力し、大量に薬をつくるよう頼んだ。そうして、1944年までに数百万回分もの薬がつくられたんだよ。

細菌ってどんなもの？

細菌は、地球上のあらゆるところで見つかる、小さな単細胞生物（1つの細胞でできている生き物）だ。小さじ1杯の土の中には、少なくとも1億という数の細菌がいるし、きみたちの体には、およそ40兆もの細菌がひそんでいるんだよ。細菌には役に立つものもいる。たとえば、きみの体の腸の中にいる細菌は、食べ物の消化を助けているんだ。でも、命をうばうような病気の原因になる細菌もいるんだよ。細菌は、形によって3つのグループ（かん菌・球菌・らせん菌）に分けられるよ。

かん菌は、棒のような形をしている

球菌は、ボールのような形をしている（レンサ球菌のように連なるものもある）

かん菌

レンサ球菌

スピロヘータの仲間

らせん菌の仲間には、コンマのようにカーブした形のもの（ビブリオ属）、太いらせん状のもの（スピリルム属）、細いらせん状のもの（スピロヘータの仲間）がいる

スピリルム属

ビブリオ属

細菌の細胞の中には、1本の輪がもつれた状態のDNAがあり、そこに細菌が増えるのを助ける遺伝子が納められている

細菌は動植物の細胞のような細胞核がなく、DNAがそのままゼリー状の細胞質に散らばっている

リボソームは、細菌が必要とするタンパク質をつくり出す

細菌の細胞質は、植物細胞のように、しっかりした細胞壁に囲まれている

細菌の多くは、「せん毛」とよばれる、たくさんの小さな毛のようなものを使って、すみつく生き物の体内の表面にくっつく

細菌の中には、しっぽのように見える、この「べん毛」を使って泳ぐものもいる

ペニシリンの働き

第二次世界大戦からこれまで、抗生物質のペニシリンは、細菌感染症にかかった何百万という人々の治療に使われてきた。レンサ球菌は、人間やそのほかの動物の“のど”にいる細菌の一種だ。ふつうなら、いても何も問題はないけれど、免疫の働きが弱くなると、それらが肺まで下がっていくことがある。そうなると、肺炎という、危険な肺の炎症を引き起こす可能性があるんだ。

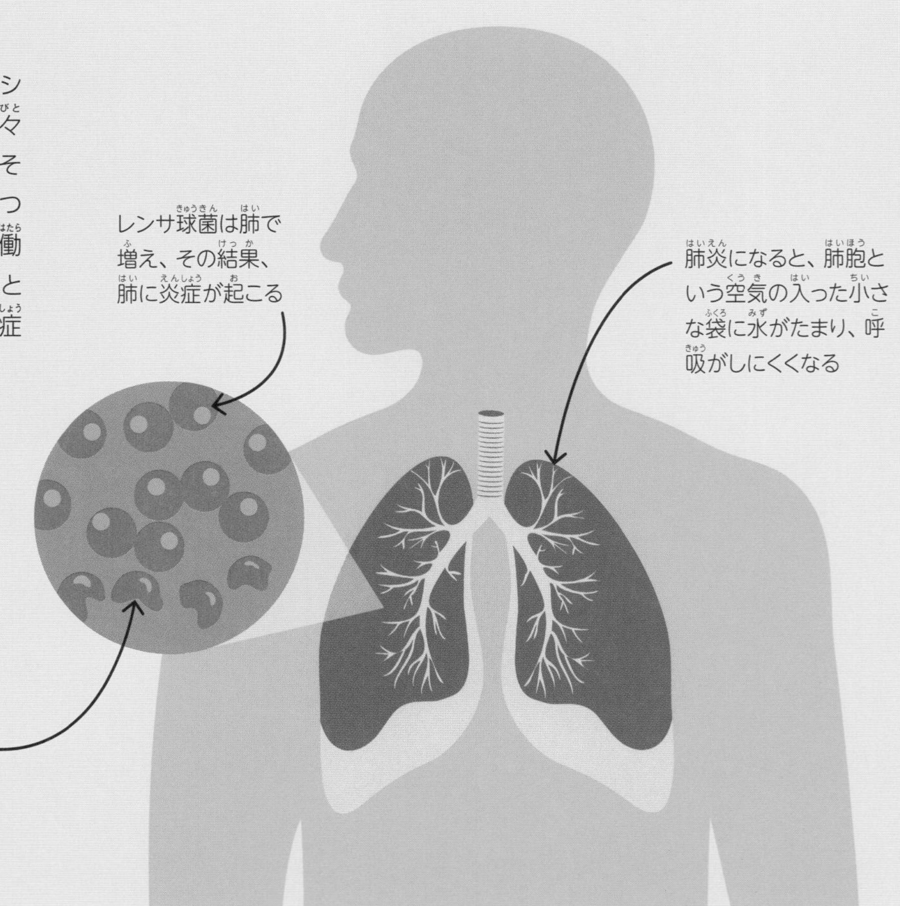

抗生物質は、細菌が細胞壁をつくることをじゃますることで、細菌と戦う。そして最後には細胞壁がこわれ、その結果、細菌が死ぬんだ

スーパー耐性菌

抗生物質は数え切れないほどたくさんの人々の命を救ってきた。でも、科学者たちは、そのうち、ある問題に気がついたんだ。細菌は、遺伝子の突然変異のせいで、たえず変化していく。そして、なかには、抗生物質にやっつけられないように変化するものも現れる。抗生物質をたくさん使えば使うほど、抗生物質に耐えられる細菌が、よりたくさんみられるようになるんだ。すべての抗生物質がきかない、危険な細菌は「スーパー耐性菌」として知られているよ。

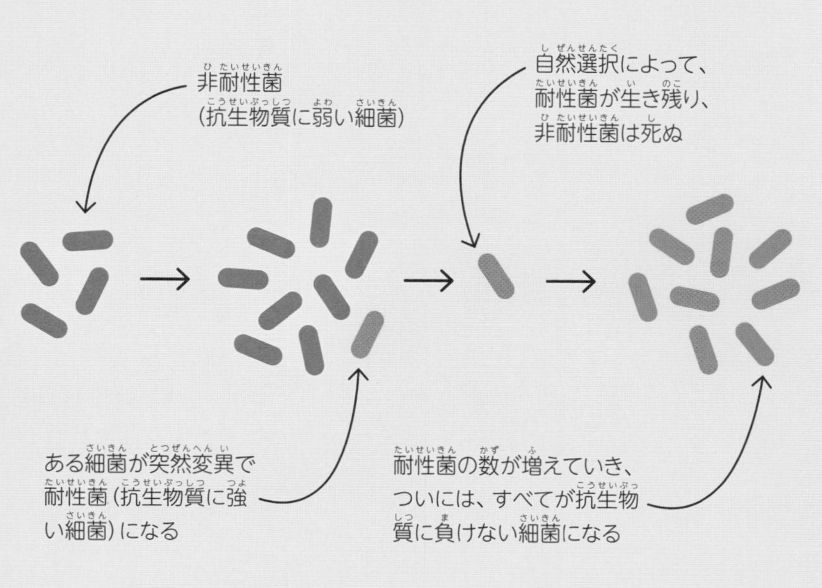

ホントの話

しぶとい細菌

細菌はとてもたくましいので、宇宙空間でしか体験できないような、ものすごい寒さやとんでもなく高い放射線レベルでも生きられるものがいる。地球のはるか上空を回っている国際宇宙ステーションの外側に、デイノコッカス・ラディオデュランスという細菌を置いたところ、なんと、3年間も生きていたんだ。これは、生き残るのに地球の環境が必要ない生き物もいる、ということかもしれないね。

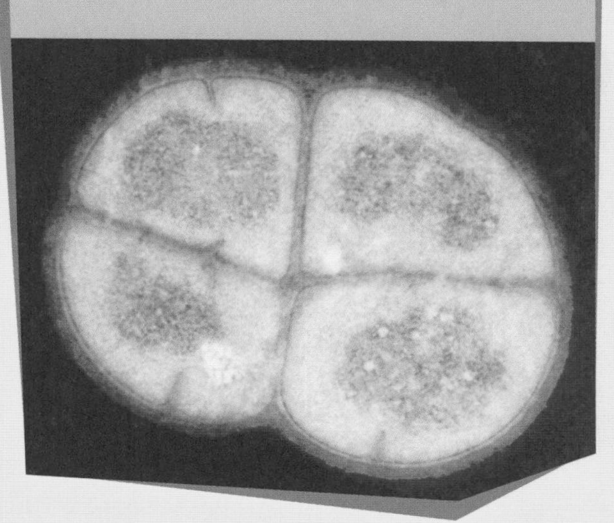

暗やみで光る細菌

一部の生き物は、細菌を利用して自分自身を光らせる。この現象を「生物発光」というんだ。ダンゴイカは、夜、自分の身を守るため、ビブリオ・フィシェリという発光細菌を利用している。発光器とよばれる、外とう膜（円すい状の胴体）にある小さな袋の中に、発光細菌をわざとすまわせているんだ。発光器が放つ光は、まるで海面を照らす月の光のように見え、自分を周囲の環境にまぎれこませるのに役に立つ。ダンゴイカをねらう生き物が、ダンゴイカの存在に気づかずに通り過ぎるのを待つ作戦なんだよ。

どうやって食べ物を新鮮に保つの？

1860年代より前は、牛乳を2、3日以上保存することはできなかった。そのころの人々は、しぼりたての牛乳を毎日買わなければならなかったんだ。それでも、ときどき牛乳を飲んで具合が悪くなることがあった。牛乳はそのままでは腐るのがとても早かったんだ。でも、どうして腐りやすいのか、どうやったら腐るのを防げるのか、だれにもわからなかった。そんなとき、フランスの生物学者、ルイ・パスツールが、牛乳をもっと長く新鮮に保ち、より安全なものにするのに役立つ発見をした。それは、人々の生活を大きく変えたんだ。

1 ルイ・パスツールは、飲み物、なかでも、とくに牛乳がなぜ腐るのか、研究し始めた。そのころ、多くの人々は、牛乳が腐る現象は偶然のプロセスで起こるもので、飲んで具合が悪くなるのを防ぐことはできない、と考えていた。

2 やがて、パスツールは、牛乳の中にごく自然にいる、小さな微生物（顕微鏡でしか見えないほど小さい生き物）が、牛乳を腐らせる原因になっていることに気がついた。

3 パスツールはすぐにこの微生物を殺す方法をいろいろ試し始めた。そして、牛乳を熱したあと、すぐに冷やすと、前よりもかなり長く日持ちすることを発見した。それからは、腐った牛乳を飲んで人々が体の具合を悪くすることがほとんどなくなったんだ。

4 そのプロセスは「低温殺菌」として知られるようになった。これはとてつもない成功だった。そして、食品をつくる仕事をする人たちは、この方法をほかの食品や飲み物が腐るのを防ぐことにも利用し始めた。低温殺菌は、今でも世界中でおこなわれているんだよ。

もっとくわしい科学の話

低温殺菌

低温殺菌は、味や品質を大きく変化させずに牛乳をより長く新鮮に保つのに役立っている。これは、あらかじめ微生物をすべて取り除いた容器に入れる前に、牛乳を熱交換器で60～100℃の温度に加熱したあと、すばやく冷やす、という方法だ（100℃以上に加熱する場合「高温殺菌」といい、日本の牛乳は、120～150℃で1～3秒間加熱する「超高温瞬間殺菌」が多いよ）。

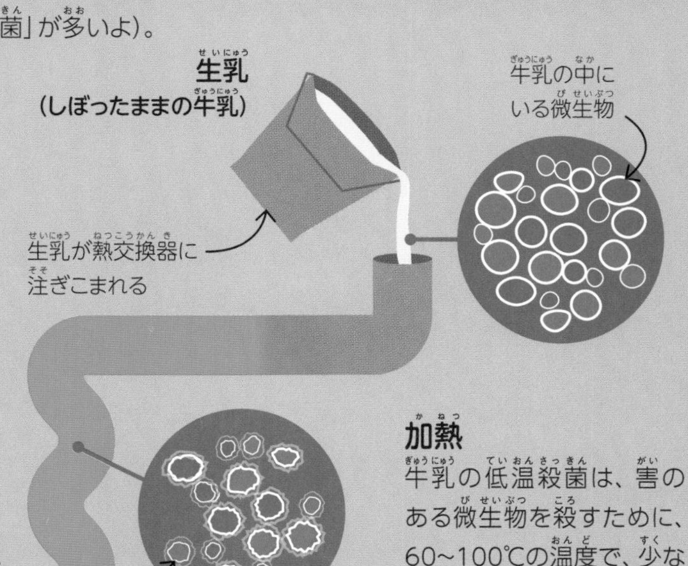

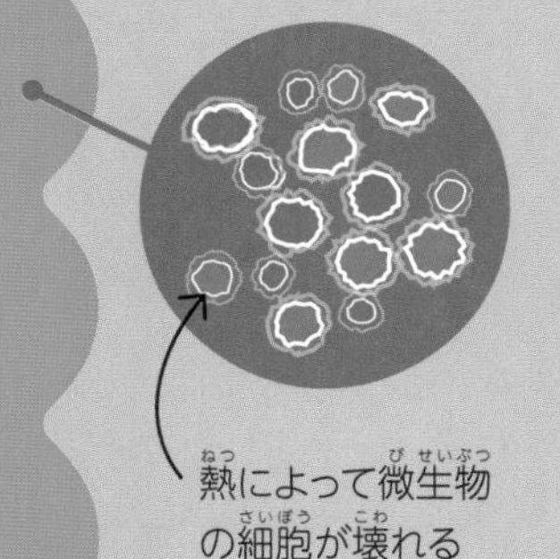

加熱

加熱

牛乳の低温殺菌は、害のある微生物を殺すために、60～100℃の温度で、少なくとも15秒間加熱する。

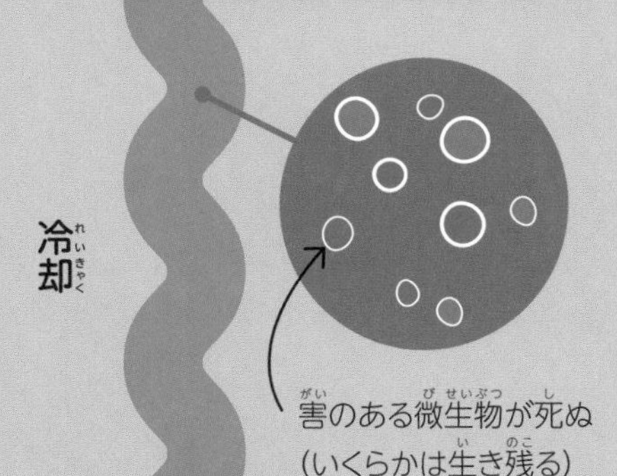

冷却

冷却

加熱後、牛乳はすぐに3℃以下に冷やされ、ビンやパッケージにつめられる。あとはお店で売るだけだ。

低温殺菌された牛乳がビンづめされる

どんな食品が低温殺菌されているの？

今では、きみたちが食べている食品の多くが低温殺菌されているんだよ。でも、低温殺菌される理由は、必ずしも同じというわけじゃないんだ。現在、世界の大部分の国では、人々が安心して買える商品にするため、たくさんの食品が低温殺菌をするよう義務づけられているんだよ。

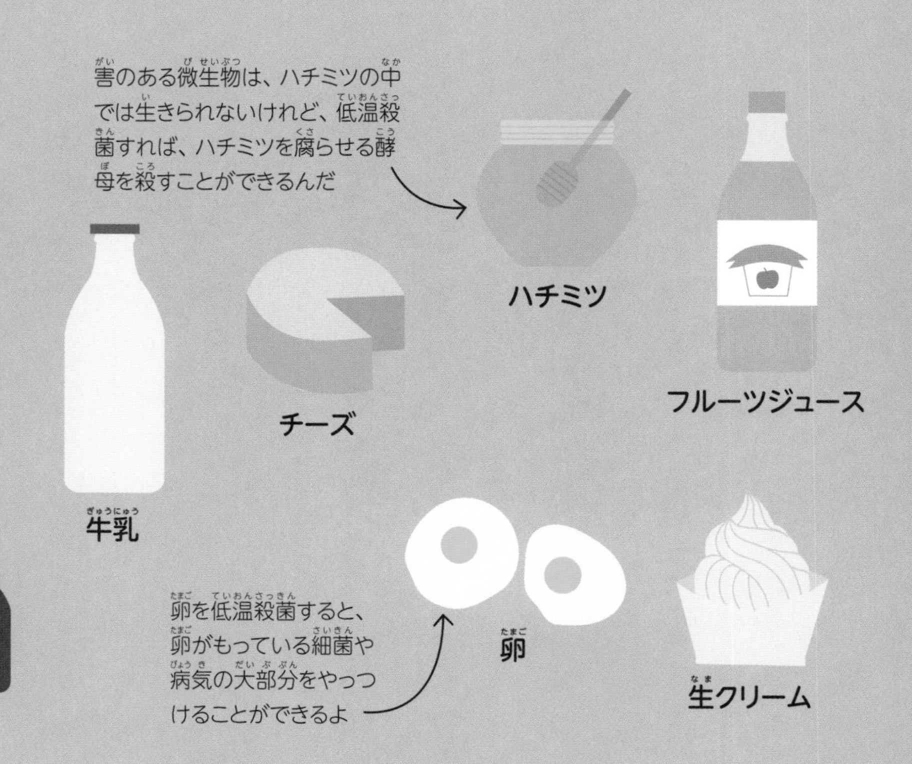

酢を低温殺菌しても安全性がさらに高くなるということはないけれど、消費期限が長くなるよ

やってみよう

pH（水素イオン指数）

pHで表す、水素イオン指数（水素イオン濃度指数）は、液体の酸性・アルカリ性の程度を表す数値のことだ。酸性の物質が溶けている液体はpHが1～6で、アルカリ性の物質が溶けている液体はpHが8～14を示すんだ。この実験では、時間がたつにつれて、牛乳のpHの数値がどうなるのかを調べるよ。必要なのは、pHの程度を調べるのに使われるリトマス紙、それと牛乳だ。

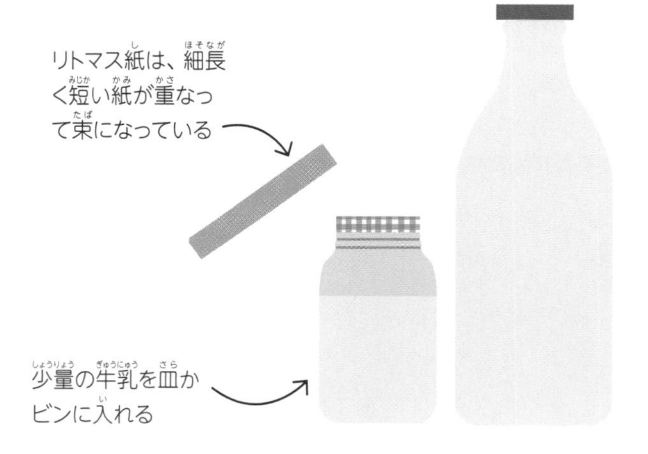

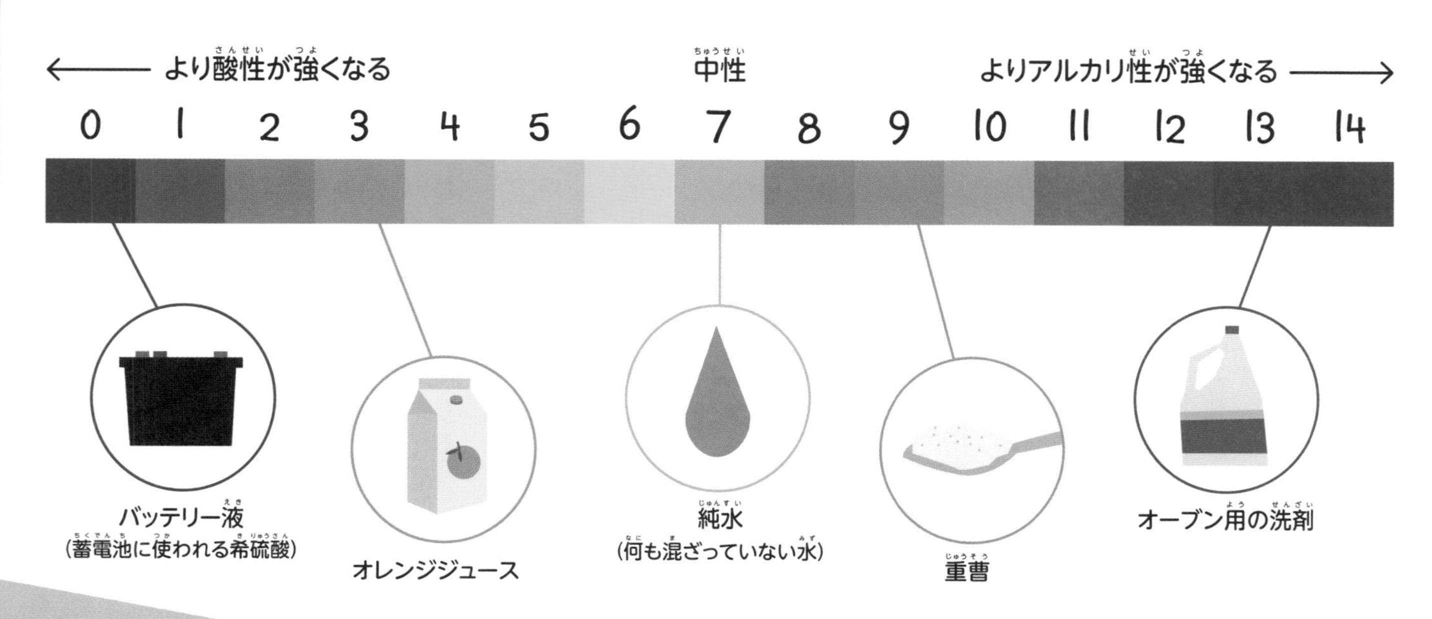

ねえ、知ってる？

絹を守る発見

19世紀のヨーロッパでは、微生物による2種類の感染病の流行で、絹糸の生産のため飼育されていた、昆虫のカイコが大量に死んでいた。パスツールは、これらの病気を食い止めるため、感染した親が産んだ卵を見分ける検査方法を見つけ、困っていたフランスの絹産業を救ったんだ。パスツールの検査方法はやがて世界中でおこなわれるようになったんだよ。

微生物との戦い

何世紀にもわたって、食品は、乾燥・酢漬け・発酵・冷却などのさまざまな方法を使って保存されてきた。現代では、缶づめ・冷凍・保存料の添加（特別な物質を加えること）や、進歩した保存容器を使うなど、さらにもっとたくさんのやり方で食品を保存しているよ。これらのすべてが「微生物を殺す」「微生物を増やさない」「食べる前に食品に微生物をつけないようにする」、このどれかの手段としておこなわれているんだ。

リトマス紙を1枚使って牛乳のpHを調べ、結果を記録する

牛乳を少なくとも1週間そのまま置いたあと（いやなにおいがするので、家の外に置きたくなるかもね）、もう一度、別のリトマス紙でpHを調べる

置きっぱなしにした牛乳のpHが、前より低くなっていることがわかったはずだ。牛乳は低温殺菌されていても、その中にまだ細菌などの微生物がいくらか残っている。時間がたつにつれてそれらがだんだん増えてきて、牛乳にふくまれるラクトース（乳糖）から乳酸という物質をつくり出す。それが牛乳をより酸性にするんだよ。

ホントの話

食品保存で変わる生活

食品保存の発達は、人々の生活のしかたや住む場所を変えた。たとえば、食べ物がつくられる場所の近くに住む必要も、毎日買い物をする必要もなくなった。また、出かけるときも、安心して食べ物を持ち歩き、おなかをこわす心配をせずに食べられるようになったんだよ。

どうやって生き残るの？

何百年も前に地球上にいた動物や植物は、今の時代にみられるものとはかなり違っていた。生き物は、長い年月をかけて少しずつ変化し、新しい「種」（生き物を分類するときの基本単位）になることがある。このプロセスを「進化」というんだ。進化が起こることを証明し、どうしてそれが起こるのかを説明した最初の人物は、イギリスの博物学者（動物・植物・岩石など自然のものを研究する人）、チャールズ・ダーウィンだ。

1 若いときから野生の動物や植物に心をうばわれ、見知らぬ土地への旅を夢見ていたダーウィンは、1831年、22歳のときに、世界中をめぐる船旅に誘われた。それは、科学調査をおこなう探検隊に博物学者として参加しないかという話だった。ダーウィンはこのチャンスに飛びついた。

2 ビーグル号での5年にわたる船旅で、ダーウィンは、ジャングル・砂漠・火山・熱帯の島々などに立ち寄り、ゾウガメやウミイグアナをはじめ、驚くような動植物にめぐりあった。ダーウィンは日記をつけ、何千というスケッチ画やメモを残して、ありとあらゆる観察結果をとても注意深く記録したんだ。

3 ガラパゴス諸島――太平洋に浮かぶ、いくつかの火山島の集まり――で、ダーウィンは、くちばしの形に違いがある、13種の新種の小型の鳥（のちにダーウィンフィンチ類と分類されたもの）を見つけ標本にした。その後、ダーウィンは、それらの鳥の祖先が、大昔にその島々に飛んできてすみついた、ただ1種の鳥ではないかと考えた。

4 旅からもどったあと、ダーウィンの心の中では「進化はどのようにして起こるのか」について、理論が形になり始めた。そして、それについて数年間考え続け、証拠を集めた。それでも、その理論を世の中に発表することを、ダーウィンはためらった。それは宗教の思想にさからうものだったからだ。ついに自分の考えを書いた本を出版したとき、ダーウィンは50歳になっていた。その本はすぐにベストセラーとなり、一つの科学革命を引き起こしたんだよ。

もっとくわしい科学の話

自然選択

大部分の生き物は、生き残る数よりもはるかに多くの子世代をつくることを、ダーウィンは知った。その中から少しでも多く生き残って成長し、次の世代をつくれるようにするためだ。これは競争を生む。ほとんどの子世代が死ぬような、生き残りをかけた戦いだ。このような場合、生まれつきの性質の最もよいものが生き残り、その性質を次の世代に引き継ぐチャンスが一番ある。ダーウィンは、「自然はいつでも最も悪いものを取り除き、最もよいものを選ぶ」と考え、これを「自然選択」とよんだんだよ。

メスのウサギは1年間にだいたい70羽の子を産む

両親

生き残るウサギ（赤色で示したもの）

死ぬウサギ（青色で示したもの）

子世代

生き残ったものが次の世代の親になる

ダーウィンの進化論

ダーウィンの本によると、進化はおもに自然選択によって引き起こされる。そして、自然選択は、生き物の種が周りの環境に合わせようと、自分を変化させるおもな原因になっているんだ。よく知られた例が、羽が白っぽい色と黒い色の2種類がいる、オオシモフリエダシャクというガだ。1800年代初めころ、イギリスの市街地で見つかるオオシモフリエダシャクの大部分は、白っぽい色だった。木の枝にとまると木の皮の色にまぎれやすいからね。ところが、1800年代後半までに、その種のガのほとんどが黒い色の羽になった。工場から出たススで木が黒くなったため、白っぽい色のガが鳥から見つかりやすくなり、木の色に一番うまくまぎれるのが、黒い色のガになったんだ。つまり、黒い色のガが生き残りをかけた競争に勝って、種が変化したんだよ。

長い年月をかけた適応

ダーウィンは、ガラパゴス諸島で集めた小型の鳥が、島近くの南米大陸にすむ種に似ていることに気がついた。ところが、諸島にすんでいた小型の鳥はすべて、種ごとにくちばしの形が少しずつ違っていた。それぞれの島で見つかるエサに最も合うくちばしの形をもった鳥が自然選択によって生き残ったんだ。そして、そうした鳥のくちばしの特徴が次の世代に受け継がれていくプロセスは、くり返され続けてきた。長い年月をかけて、それぞれの種のグループが別々のエサに適応して、特有のくちばしに進化したんだよ。

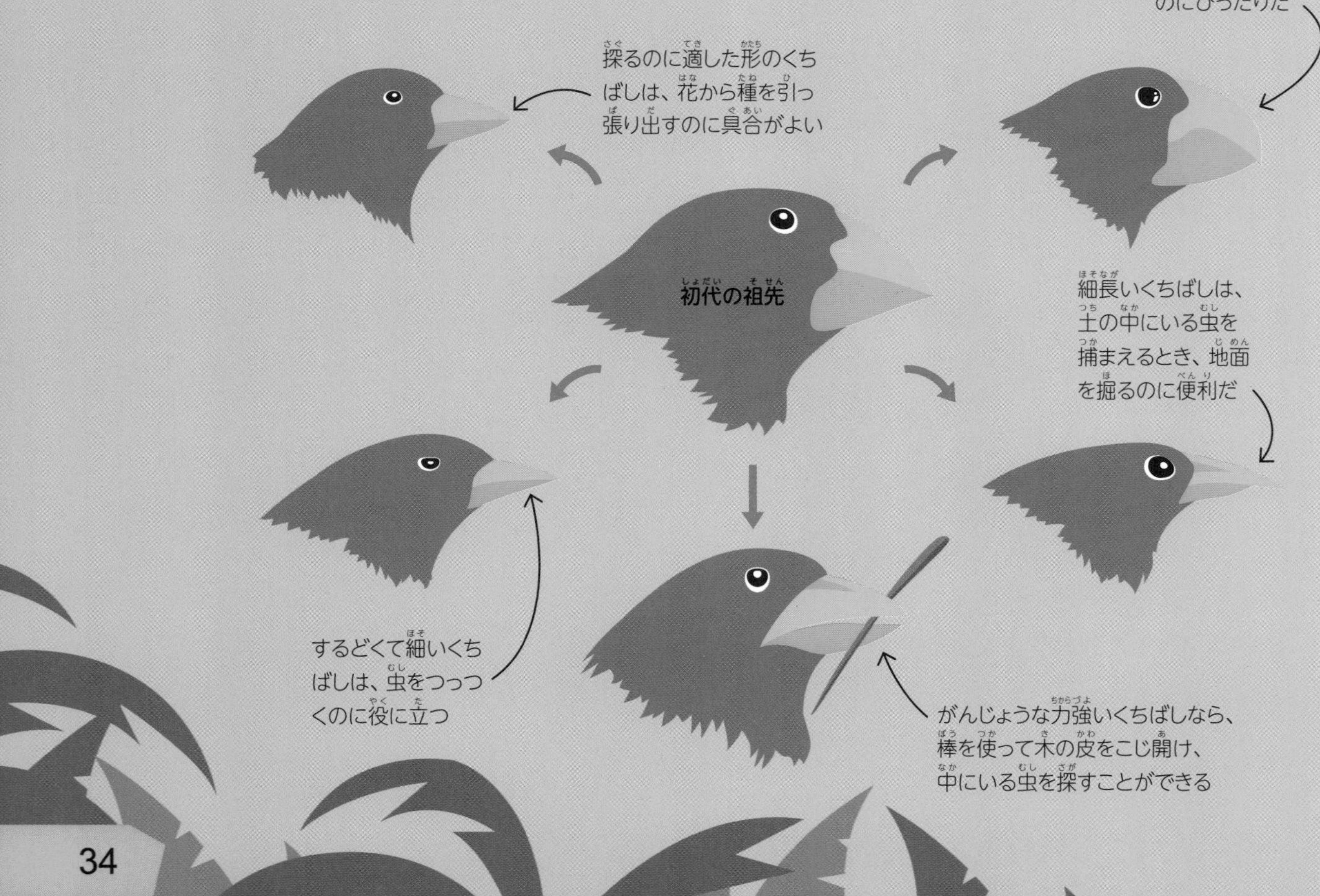

新種の生き物はどのようにして現れるの?

ビーグル号の船旅で、ダーウィンは遠く離れた島々を訪れ、そこで、ほかのどこにもいない生き物の種を発見した。そして、このような新種の生き物は、ある生き物の集団がほかの土地と行き来のない場所で、もう別の種と交配できない状態のときに誕生する可能性が高い、とダーウィンは考えた。長い年月の間に、自然選択による進化のプロセスによって、たがいに繁殖するにはあまりにも違うもの、つまり、別々の種になるまで、それぞれの集団がさまざまな方法で変化する、ということなんだ。

ねえ、知ってる?

人間の進化

人間もほかの生き物の種と同じような方法で進化したこと、そして人間の祖先がおそらくサルであることを知れば、多くの人々がショックを受ける——ダーウィンはそう考えた。ダーウィンの考えが「神は自分の姿にかたどって人間をつくり出した」という、キリスト教の信仰と対立するものだったからだ。

交流できなくなったリスの集団が、そのうちそれぞれ別の種に進化していく

また同じ土地にすむことになっても、2つの種は別の種として区別され続ける

1 あるリスの種の集団が、一つの大陸にすんでいる。このリスたちはみな、同じ種どうしで交配できる。つまり、同じ一つの種だけが生まれる。

2 海面が高くなり、山の部分が残って2つの島になる。そうすると、それぞれの島で2つの種が、さまざまな方法で進化しはじめる。

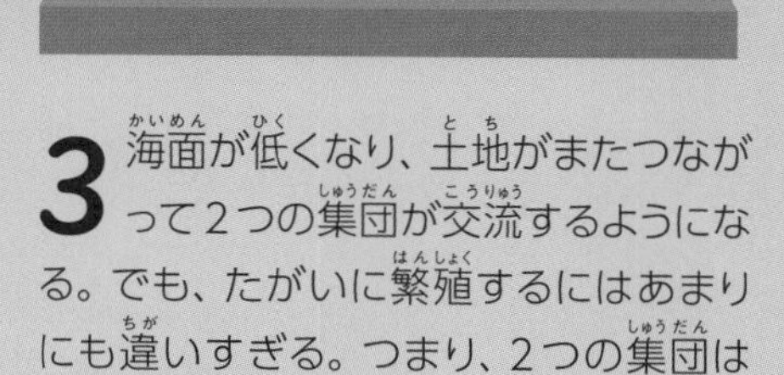

3 海面が低くなり、土地がまたつながって2つの集団が交流するようになる。でも、たがいに繁殖するにはあまりにも違いすぎる。つまり、2つの集団は別々の種になったということだ。

ホントの話

求愛のディスプレー

いろいろな鳥の種の中には、オスがメスの気をひくために、求愛ダンスやカラフルな羽を見せる行動など、大げさな求愛のディスプレー(誇示ともいうよ)を見せるものがいる。メスはいつでも最もよいディスプレーをしたオスを選ぶんだ。何世代にもわたって、このことが自然選択によって受け継がれた結果、オスの姿がこれ以上ないほど目立つものになったり、求愛ダンスがどんどん複雑なものになったりすることがあるんだよ。

すばらしい生物学者たち

古代から、生き物にかかわるしくみや行動を説明するため、物事をよく考える人たちが、世界のあちこちでさまざまなアイデアを考え出してきた。顕微鏡の発明のような新しい技術と、人の体のしくみからミツバチどうしのコミュニケーションの取り方まで、生き物にかかわるあらゆることに対して、好奇心いっぱいの科学者たちがおこなってきた、たくさんの研究のおかげで、わたしたちは驚くほどの勢いで生き物への理解を深めてきたんだよ。

スシュルタ

古代インドの医師、スシュルタがまとめた『スシュルタ・サンヒター』という本は、知られているうちで最も古い医学書の一つだ。そこには1,100以上の病気と、960種類もの植物の医学的な利用例（薬など）が書かれていた。また、スシュルタは、だれよりも早く外科手術の分野をリードした人でもあり、抜歯（歯を抜くこと）や白内障（眼の水晶体というレンズ部分がにごる状態）などの手術方法を生み出したんだよ。

紀元前1500年ころ

紀元前6世紀

紀元前4世紀

フンからつくられた薬

古代エジプトでは、病気やケガに対して、医師があらゆる種類のめずらしい解決策を人々にすすめていた。たとえば、よく使われていたのが、動物のフンからつくられたぬり薬だ。フンの薬なんて聞くと「汚くていやだな」と思うかもしれないけれど、現在では、いくつかの種類のフンに、害のある微生物を殺す手助けをする、役に立つ細菌がふくまれていることがわかっているんだよ。

生物学の創始者

古代ギリシアのアリストテレスは、世界で初めて生き物を分類しようとした人だ。動物を血があるかないかでグループに分けようとしたんだ。そして、分類のために、生きている動物を観察したり、死んだ動物を解剖したりした。アリストテレスは、動物には共通する臓器があることに気づいた最初の一人だった。

顕微鏡の発明

オランダのヤンセン親子は、父のハンスと息子のサハリヤスの2人で、最初の複合顕微鏡（2枚以上のレンズを組み合わせた顕微鏡）を発明した。1本の筒に2枚の拡大鏡（ものが大きく広がって見えるレンズ）をつけたもので、筒を通して見ると、その先に置いたものが9倍の大きさに見えたんだよ。

ねえ、知ってる？

「biology」という学問名

イギリスの医師、トーマス・ベドーズは、1799年に出版した医学書の中で、“生き物に関する学問”という現在使われている意味で「biology」（日本語で「生物学」）という用語を最初に使った人だと考えられている。「bio－」はギリシア語の「bios」（生命）がもとになっているんだよ。

細胞の発見

イギリスの科学者、ロバート・フックは、複合顕微鏡の下でうすく切ったコルク片に光を当てたときに、世界で初めて「細胞」を発見した。それぞれの小さな細胞は、壁のある小さな部屋のように見えた。だから、修道院の中にならんでいる小部屋を意味するラテン語「cellula」にちなんで、フックはこれを「cell（セル）」と名付けたんだ。日本ではこれを「細胞」とよんでいるんだよ。

医学書の最高傑作

ペルシアの哲学者、イブン・スィーナー（アヴィセンナとしても知られている）が書いた『医学典範』は、歴史上で最も重要な医学の教科書の一つだ。この本は、古代とイスラム世界の医療知識を集めたもので、イブン・スィーナーが死んだあと、何世紀にもわたって医師たちに使われてきたんだよ。

新しい分類体系

スウェーデンの植物学者で動物学者のカール・リンネは、科学者仲間が自由に植物に名前を付けるという、ルールのないやり方に不満を感じ、自然界を分類するための科学的な体系を考え出した。リンネは、すべての生き物を2つの界（動物界と植物界）に分けて、それぞれをさらに細かい種類に分類した。

リンネの分類体系は、現在使われている分類方法の基礎になっているんだよ。

血液型

オーストリアの生物学者、カール・ラントシュタイナーは、輸血（他人または自分の血液成分を体内に入れること）が問題なくうまくいく場合と、命をうばうほどうまくいかない場合があるのはなぜか、疑問に思っていた。そして、人間の血液が、少なくともおもに３つの型（A、B、O）に分かれていることを発見し、その１年後には、４つ目の型（AB）も見つけたんだ。輸血を安全に成功させるためには、輸血に使われる血液を提供した人の血液型が、患者の血液型と一致していなければならない。この発見は、数え切れないほどたくさんの人々の命を救ってきたんだよ。

人によっては、ビタミン剤を飲んで、ふだんの食事をおぎなう必要があるんだよ

体に必要なビタミン

ポーランドの生化学者、カシミール・フンクは、脚気という病気を研究しているとき、この病気や、壊血病のような命にかかわる病気は、毎日の食事に、体を健康に保つために欠かせない物質が不足することによって起こることに気がついた。フンクは、これらの物質を「vital amine（バイタル・アミン）」とよび、のちに、これを短くして「vitamin」という名前にしたんだ。日本では「ビタミン」とよんでいるね。

1809年

1839年

1901年

1912年

細胞説

このころまでに、さらに進歩した顕微鏡を通して、数多くの生物標本で細胞が観察されてきた。ドイツの科学者、テオドール・シュワンとマティアス・シュライデンは「すべての生き物は細胞でできていて、しかも、細胞は命のあるものの基本的な構成要素である」という理論を提案したんだよ。

初期の進化論

フランスの生物学者、ジャン=バティスト・ラマルクは、チャールズ・ダーウィンより先に、ある進化の理論を思いついていた。ラマルクは「生き物は、環境に適応するために生まれたあとに身につけた、最も価値のある特性を子孫に受けついでいる」と考えたんだ。この理論は進化をあまりにも単純にとらえすぎていること、そして、生物はこの通りに形質を受けつぐわけではないということが、現在ではわかっている。

ねえ、知ってる？

木の情報ネットワーク「WWW」

木は、こっそり会話をしている。木の根についている菌類のネットワークを通して、栄養を共有したり、「木に昆虫がたくさんついているよ」といった、木にせまる危険情報を広めたりしているんだ。まるでインターネットを通して情報を共有するシステム、World Wide Web（WWW）のようなので、「Wood Wide Web」ともよばれているよ。

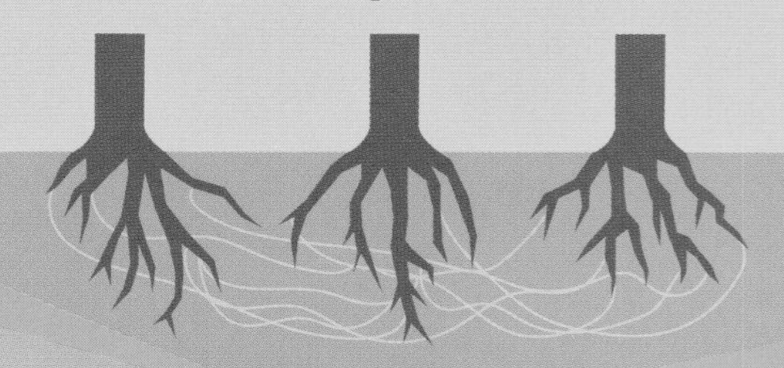

「キリンの首は、高い木の枝の葉に届くように少し長くなり、それが遺伝するということを何世代もくり返して、今のように長くなった」とラマルクは説明した（これは正しくない）

尻ふりダンス

オーストリアの科学者、カール・フォン・フリッシュは、ミツバチが食べ物を見つけたとき、同じ巣にすむ仲間のハチにその場所を教えるため、ダンスをすることを発見した。そのダンスは、食べ物との距離を教えるだけでなく、その場所の方向を太陽と関連づけて示し、仲間が食べ物さがしにかける時間や手間を減らしているんだ。科学者たちは、ミツバチやそのほかの動物が、たくさんの仲間とどのように情報をやり取りしているのか、より深く理解するために、この発見を利用しているんだよ。

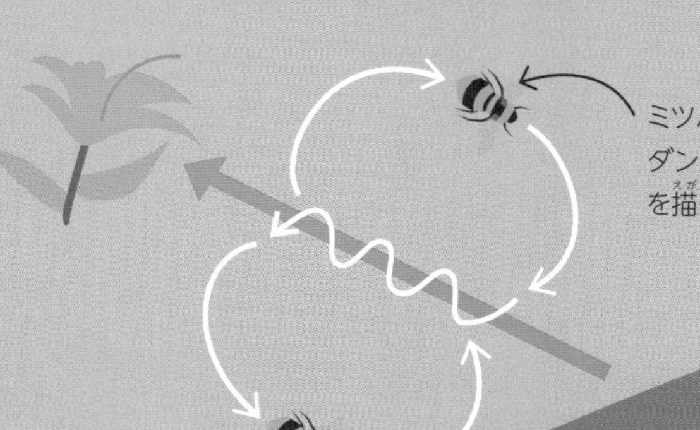

ミツバチの尻ふりダンスは、8の字を描く

ドリー

科学者たちは、おとなのたった1つの細胞から、クローンの羊をつくるのに成功した。クローンというのは、遺伝的に同じ性質をもつ生き物や細胞のことだ。クローニング（クローンをつくること）は、病気を治すのに役立つ可能性があり、また、いつの日か、絶滅した生き物の種をよみがえらせるのに使われるときがくるかもしれない。でも、そうすることは、自然の営みにさからうことだと感じる人々もいるんだよ。

1916年　1967年　1972年　1996年　2009年

ロボットハンド

自動車事故で腕のひじから先を失った3年後、ピエールパオロ・ペトルツエッロは、世界で初めて「自分の意思だけでロボットハンドをコントロールできる人」になった。イタリアの科学者たちが、電極を使ってロボットハンドを体の神経系とつないでくれたおかげで、ペトルツエッロはさまざまな感覚を感じたり、指を細かく動かしたり、物をつかんだりすることさえもできるようになったんだ。

ハンセン病との戦い

20世紀初め、ハンセン病（痛みがあり、皮膚にさまざまな症状が現れることが多い、細菌によって起こる感染症）は、ほとんど治療法がないと考えられていた。そんなとき、まだ24歳のアフリカ系アメリカ人の化学者、アリス・ボールが、この病気の効果的な治療法を考え出した。1940年代にハンセン病が抗生物質で治療できるようになるまで、この方法はずっと使われてきたんだよ。悲しいことに、ボールはこの発見のあと、すぐに亡くなってしまったので、その成果にふさわしい正しい評価を受けることはなかったんだ。

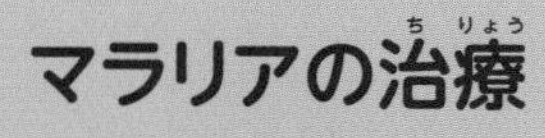

マラリアの治療

ベトナム戦争中に、中国の科学者、屠呦呦は、マラリアという感染症の治療方法を見つけてくれないかと頼まれた。その戦争で中国と同盟を結んでいた北ベトナムのたくさんの兵士がマラリアで命を落としていたからだ。昔から使われてきた中国の薬を使った治療方法を何千と試した結果、屠呦呦とその研究チームは、ヨモギの仲間のクソニンジンの葉からつくられた薬がとてもよく効くことを発見した。そして、発見した薬「アルテミシニン」は、数え切れないほどたくさんの命を救い続けたんだよ。

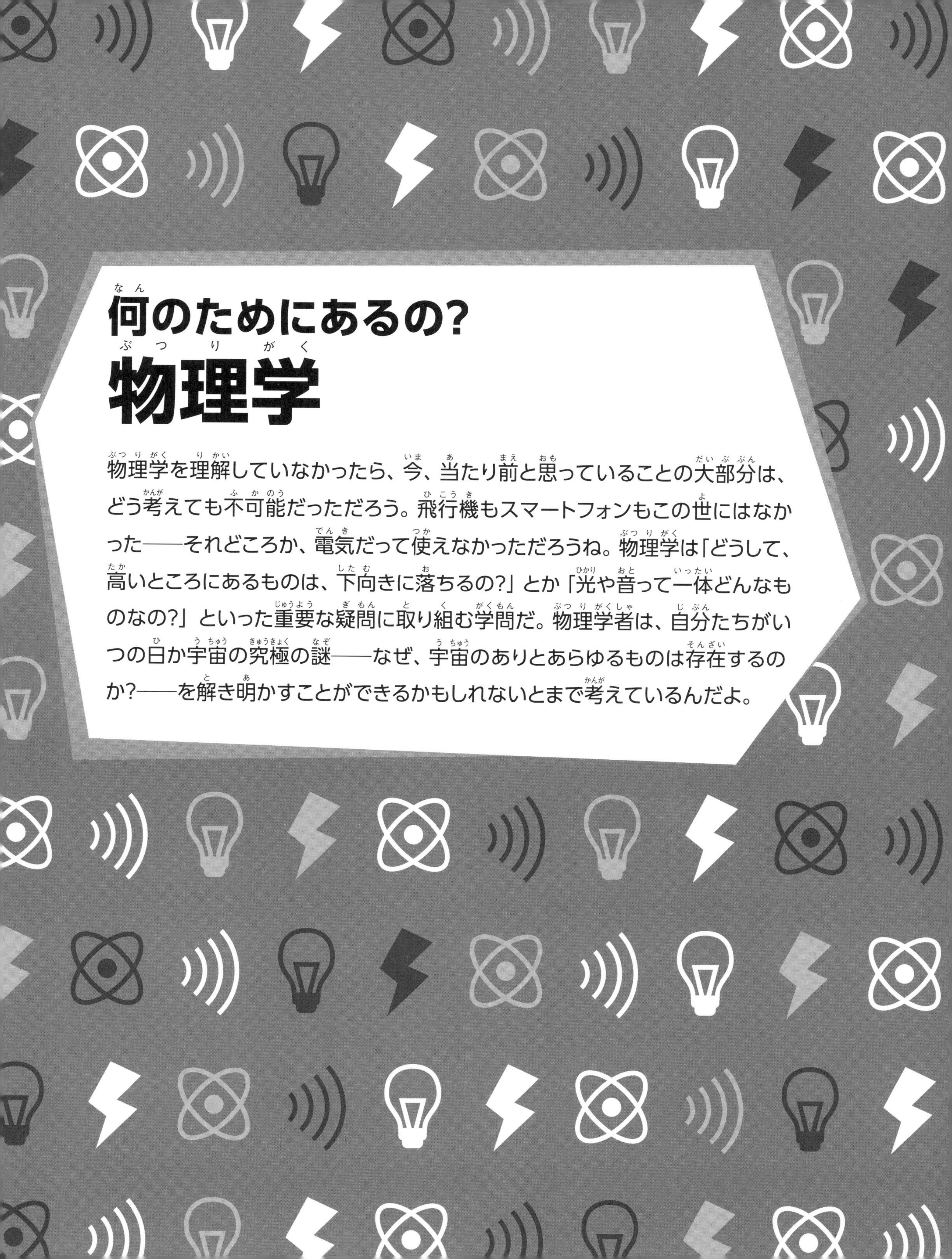

何のためにあるの?

物理学

物理学を理解していなかったら、今、当たり前と思っていることの大部分は、どう考えても不可能だっただろう。飛行機もスマートフォンもこの世にはなかった――それどころか、電気だって使えなかっただろうね。物理学は「どうして、高いところにあるものは、下向きに落ちるの?」とか「光や音って一体どんなものなの?」といった重要な疑問に取り組む学問だ。物理学者は、自分たちがいつの日か宇宙の究極の謎――なぜ、宇宙のありとあらゆるものは存在するのか?――を解き明かすことができるかもしれないとまで考えているんだよ。

なぜ、物理学が必要なの？

きみたちを取り巻く世界がどんなしくみになっているか、知りたいって？　だったら、物理学からスタートするのが一番だ！　物理学は、あらゆるものの中心になっている――最も古くからある科学の一分野であり、そのほかの科学分野は物理学にもとづいて組み立てられているんだ。最初のころの物理学者は、宇宙のあらゆるものがどうしてそのようにふるまうのか、ただただ疑問に思った――そして、それを理解する方法を探そうとした人たちだった。そんな強い好奇心が、今でも物理学の最も大きな部分をしめていて、たくさんのさまざまな分野で、ものすごく大きな発見を導く原動力になり続けているんだ。

物理学ってどういうもの？

物理学を表す「physics」という英単語は、“自然”という意味の古代ギリシア語がもとになっている――これは、物理学が、宇宙のあらゆるものの性質とそのしくみをあつかっているという事実の現れだ。物理学は、数ある中でもとりわけ、物質・エネルギー・空間・時間を研究する学問なんだよ。たとえば「バスケットボールを投げる」という、本当に単純なことでも、プレー中のエネルギーと力の関係から、空中のボールが描くアーチまで、その活動の中に物理学があるんだ。

原子って何のためにあるの?

小さなアリから爆発する星（超新星）まで、宇宙で目にするものは、すべて原子で構成されている。原子は、あらゆる物質の基本的な構成単位なんだ。原子を表す「atom（アトム）」という英単語は“切断できない”という意味の古代ギリシア語がもとになっている。というのも、古代ギリシアの人々は「原子はそれ以上小さく分けられない」と信じていたからだ。現在では、原子はさらにもっと小さな粒子が集まってできていることがわかっている──原子の真ん中には、陽子と中性子が結びついてできた原子核があり、その周りを電子が回っているんだ。

*陽子と中性子は、さらに小さいクォークという素粒子が結びついてできていることがわかっているよ

電子は、それぞれの軌道で、原子核の周りを回っている

電子は、負の電気を帯びている

陽子（図で青色のもの）は、正の電気を帯びている

日常生活の中の物理学

物理学は、わたしたちの身の回りのほぼあらゆるものにかかわりがある。たとえば、日常生活で使われている、たくさんのものが電気で動いている。この電気を最初に利用できるようにしたのも、物理学者たちだった。また、コンピュータやテレビやラジオは、電波として送られた信号（音や映像やデータを電気信号に置き換えたもの）を受信している。電波をはじめとする電磁波は、物理学のもう1つの重要な領域だよ。

掘削機のような機械は、役に立つ仕事をするため、小さな力を大きな力に変えるのに物理学を利用しているよ。

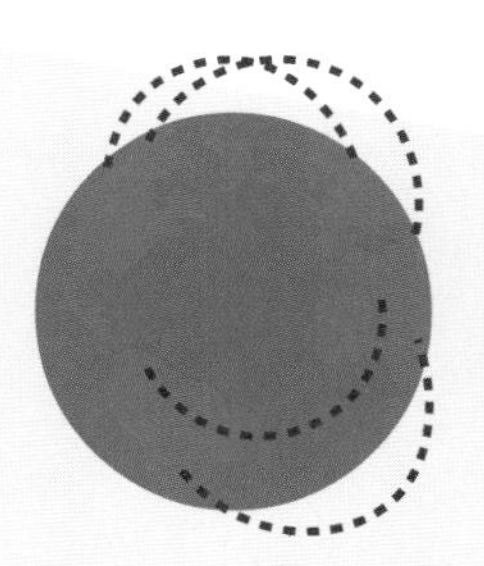

インターネットが利用できるのは、物理学のおかげで、人工衛星が地球の周りを回る軌道にのっているからなんだ。

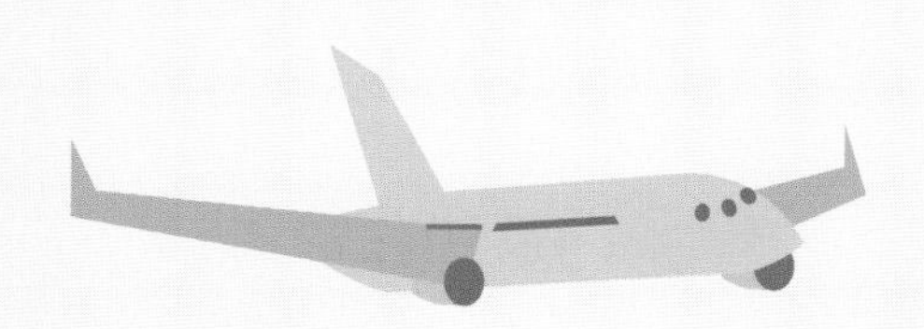

航空機は、物理学の法則を利用して、空に飛び立ち、落ちることなくその高度を保ち、安全に着陸しているんだよ。

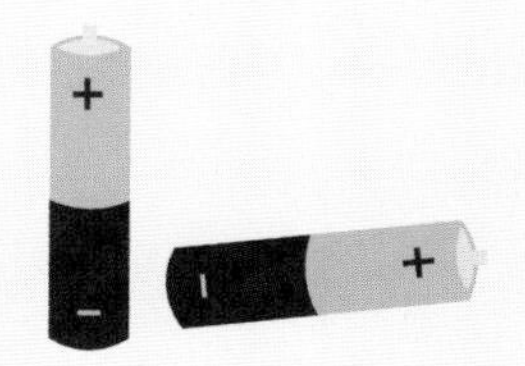

乾電池は、電池の中にある物質の化学エネルギーを電気エネルギーに変える。それで回路に電流を流しているんだ。

テレビは、物理学から得られる、光と波と色の知識を利用して、映像を見られるようにしている。

電気っていったいどういうもの？

何千年も前から、人々は電気にかかわる自然現象を体験していた。古代ギリシアでは、琥珀を毛皮でこするとほこりを引き寄せることが知られていた。これは、静電気で起こる現象なんだ。でも、当時は「電気」という考えはなかった。「電気はエネルギーをもち、金属線を流れると仕事をすることができる」と科学者たちが気づいたのは、それから十数世紀もあとのことだ。そして、その発見は、世界全体を完全に新しい形に変える、エネルギー革命の火付け役となったんだ。

1 古代エジプトの人々は、ナイル川でとれるデンキナマズの電気ショックを体験して知っていた。なんと、その電気ショックを関節炎の治療に利用していたんだよ。

2 18世紀中ごろまでに、電気について、よりたくさんのことがわかり始めてきた。アメリカの政治家で発明家だった、ベンジャミン・フランリンは、七面鳥を静電気の電気ショックで殺し、静電気で点火してつくった炎で調理したんだよ！

デンキナマズは、獲物を気絶させたり、敵から自分の身を守ったりするために、電気ショックを使う

もっとくわしい科学の話

ピカッと光る電気火花（スパーク）

フランクリンの実験は、落雷と電気が関係あることを証明した。フランクリンは「電気は、正（+）極から負（−）極へ液体のように流れる」と説明した。その約150年後、実際は逆で、負の電気をもつ電子が−極から+極に移動するとわかった。それでも「電流」の向きは+極から−極とすでに決めてしまっていたので、そのままとすることになったんだよ。

静電気とよばれる電気は、正の電気を帯びた粒子がたまるところと負の電気を帯びた粒子がたまるところができることによって生まれる。反対の電気を帯びた粒子どうしはたがいに引きつけ合うんだ。

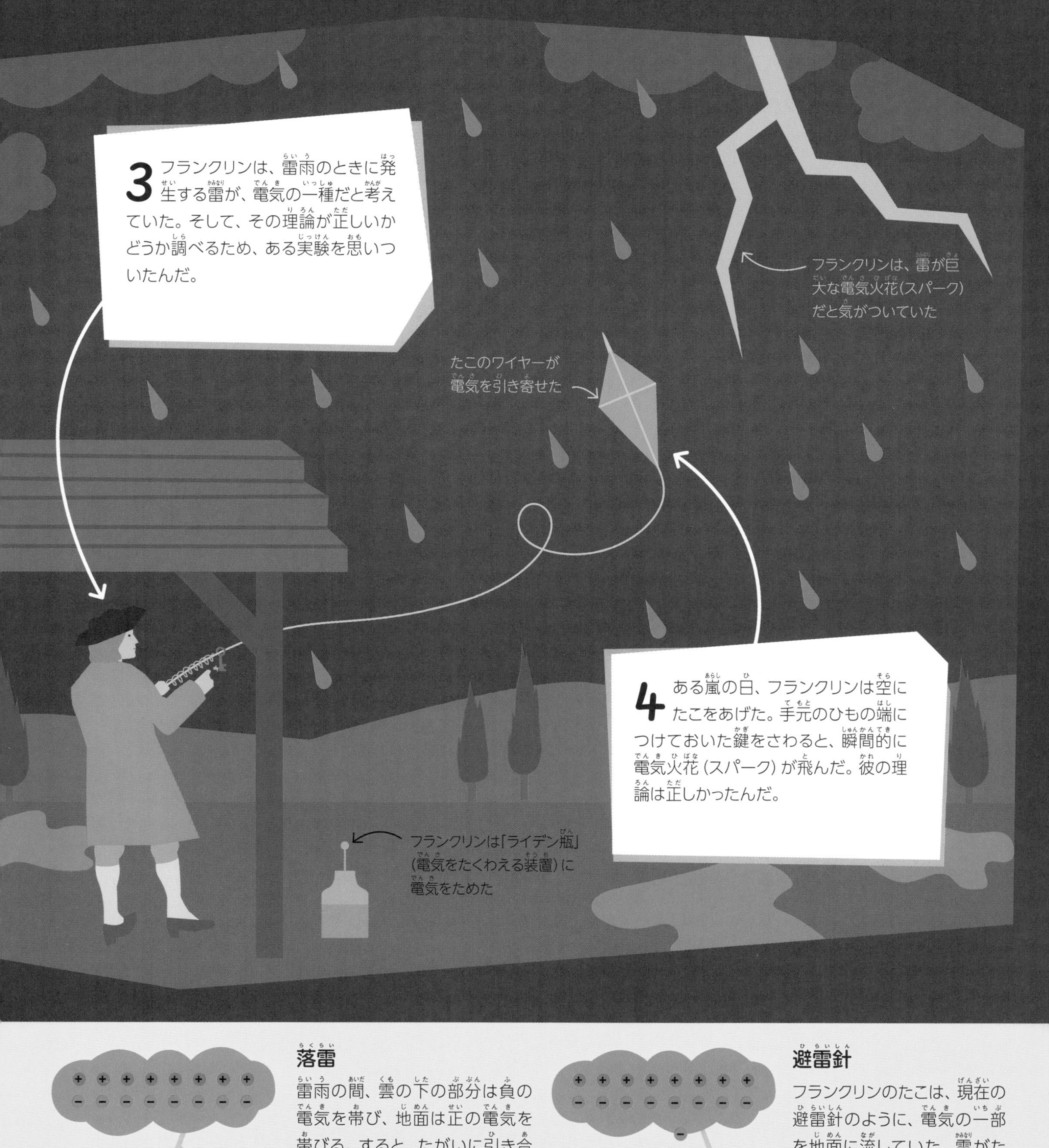

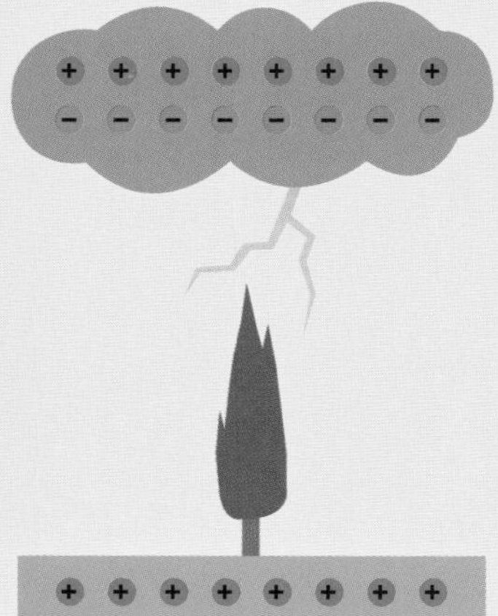

落雷

雷雨の間、雲の下の部分は負の電気を帯び、地面は正の電気を帯びる。すると、たがいに引き合う力がはたらき、この力が大きくなると、雲と地面の間に電気が流れる通り道ができる。これが落雷なんだ。

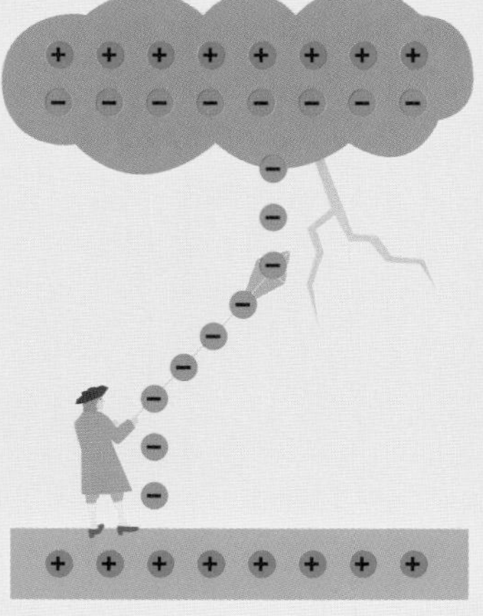

避雷針

フランクリンのたこは、現在の避雷針のように、電気の一部を地面に流していた。雷がたこに直接落ちなかったのは本当にラッキーだったんだ——万が一、たこに落ちていたら、彼は一瞬で感電死しただろう。のちに避雷針を発明したのもフランクリンなんだよ。

電池の発明

フランクリンは「電池」という意味の「battery」（バッテリー）という単語を新たにつくり出した。けれども、1800年に実際にうまく働く世界初の電池を発明したのは、イタリアの物理学者、アレッサンドロ・ボルタだった。ボルタ電池は、化学反応を利用して電子を放出し、回路に連続して電流を流すことができる最初の電池だったんだよ。

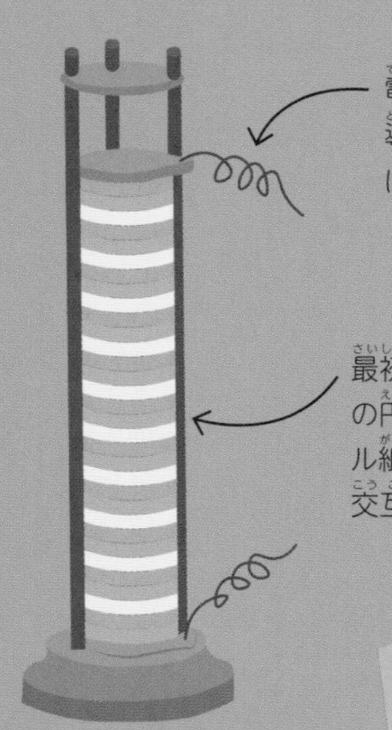

ねえ、知ってる？

「電気」と琥珀

「電気」を表す「electricity」という英単語は「琥珀」という意味のギリシア語「elektron」がもとになっている。古代ギリシア人が、琥珀（樹脂の化石）を羽や毛皮でこするとほこりを引き寄せるという静電気の性質に気づいていた話にちなんで、17世紀につくられた言葉なんだよ。

すべての人に電力を供給するために

発電所では、電線で遠く離れた広い範囲に電気を運ぶため、毎日、ものすごい量の電気が生み出されている。電気は発電所を出ると、エネルギーのロスを少なくするために、変圧器で電圧（電流を押し流す働きの大きさ）を高くして（昇圧）運ばれる。そして、その後、家庭で安全に使えるように、電圧は下げられる（降圧）。

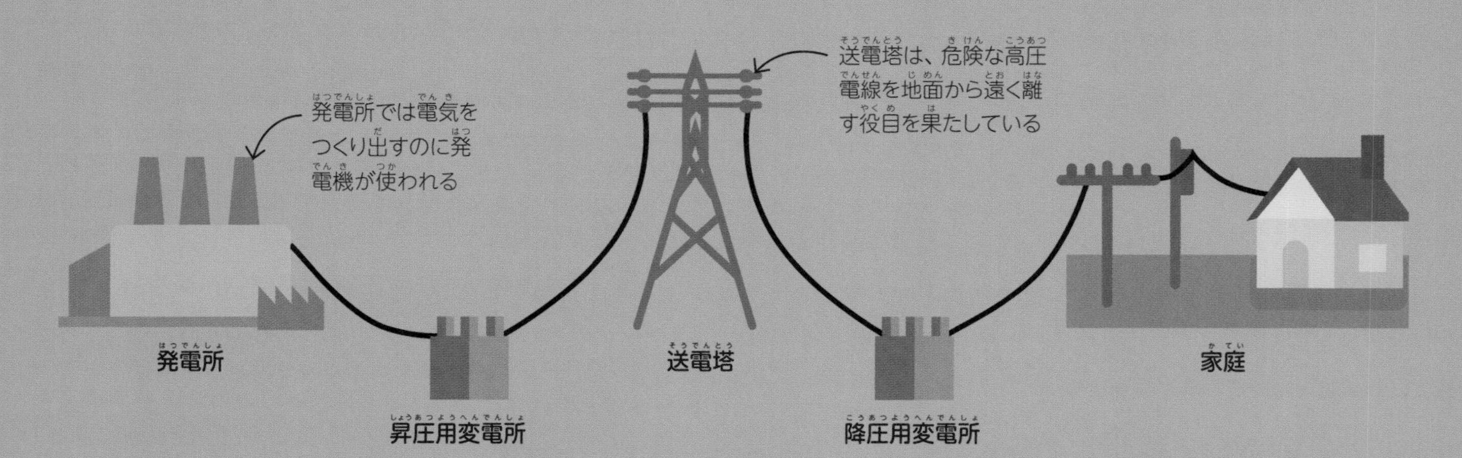

ホントの話

すばらしい自然のパワー

世界中の電気の大部分は、石炭や石油などの化石燃料を燃やしてつくられている。でも今、多くの国々が、風や太陽光のような環境により優しいエネルギー源に切り替えようとしているんだ。

家庭の中の電気

フランクリンのような初期の研究者が研究した電気は、静電気に限られていたので、実際の生活に利用するのは難しかった。やがて、電流にかかわる研究が進み（p.58「電磁気の研究」も見てね）、発電所でつくられた電気が各所に送られるようになると、世の中はすっかり変わった。トースターや電気ポットから冷蔵庫や電話まで、毎日使っている道具や機械の大部分が電気で動いているんだよ。電気がない世界なんて想像できないね。

やってみよう

静電気の実験

風船をきみの上着か髪の毛でこすると、風船は負の電気を帯びるようになる。負の電気を帯びた電子が、こするものから風船に移ったからだ。この負の静電気を帯びた風船で、1枚の紙を引き寄せてひろったり、空き缶を動かしたりしてみよう。

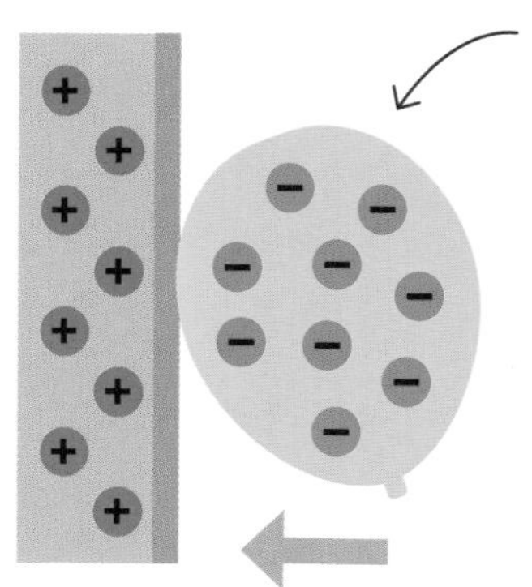

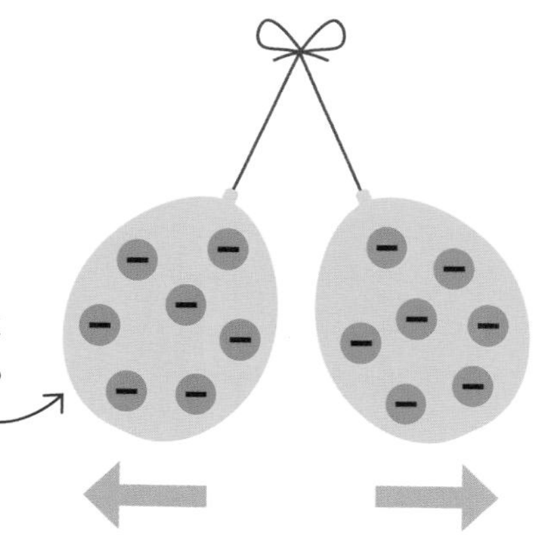

静電気を帯びた風船は、まるで手品のように壁にくっつくだろう。これは、壁の電子が風船の負の電気と反発することによって、壁の表面が正の電気を帯びるようになるからだ。

反対の電気を帯びると引きつけ合うけれど、正と正・負と負のように、同じ電気を帯びるとたがいに反発し合う（離れようとする）。もし、静電気を帯びた2つの風船をならべてつるせば、負の電気どうしで反発し、2つの風船は離れるだろう。

1 ヴィルヘルム・レントゲンは、電圧をかけると「陰極線」（電子の流れ）が生まれる、真空放電管というガラス管で実験をおこなっていた。そして、一時的にガラス管から出る光線をすべてさえぎろうと考えて、厚紙でガラス管をおおったんだ。陰極線は厚紙を通りぬけることはできないからね。

2 そのあと、装置のスイッチを入れると、実験室に置いた蛍光板が、これまで見たことのないような光り方をすることに気がついた。スイッチを切ると、蛍光板は暗くなった。つまり、ガラス管の中から目に見えない光が厚紙を通りぬけて外に出たということだ。レントゲンは、この目に見えない光線の正体がわからなかったので、とりあえず「X 線」という名前を付けた。

見えないものをどうやって透かして見るの？

X 線（エックス線）は、1895年にドイツの物理学者、ヴィルヘルム・レントゲンによって偶然発見された。現在では、世界中の病院や歯科医院などで、1年間に1億回以上も使われているんだよ。X 線は、電波、赤外線、可視光線（目に見える光）、紫外線、ガンマ線…などの電磁波の仲間で、エネルギーが高く、ものを通りぬける働き（透過力）が強い。人の体の肉の部分は簡単に通りぬけ、金属や骨の部分は、通りぬけられないか、通りぬけにくいんだ。だから、X 線は人の体の内部を見るのに理想的なんだよ。

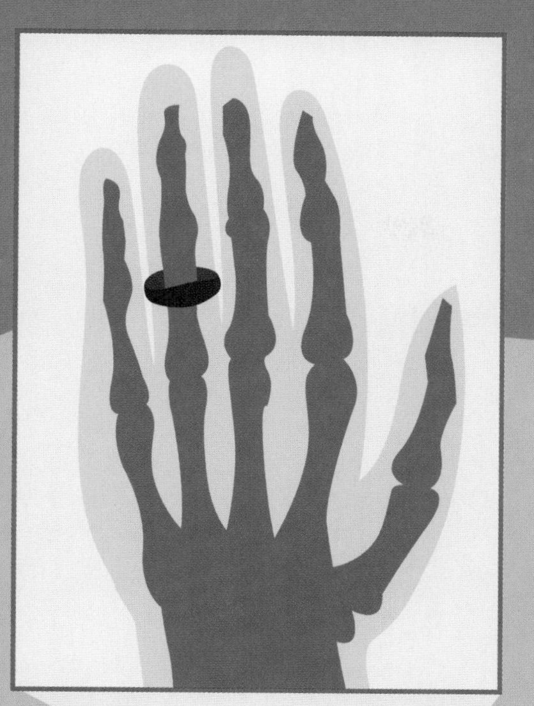

3 レントゲンは、X線が紙や本だけでなく、薄い金属板さえも通りぬけることを発見した。そして、自分の奥さんの手に当てて通りぬけたX線を写真乾板に照らし、影のように写る手の骨の写真を撮ったんだ。“ゆうれい”のような写真を見て、奥さんは「自分が死んだところを見たわ」といった。これが、人間の体を撮った世界初のX線写真だった。この写真が衝撃的だったこともあり、X線発見のニュースは世界中に届いたんだ。

X線のしくみ

X線写真は、ふつうの写真とはまったくちがう方法で撮影される。ふつうの写真は、物体に当たって反射した可視光線を使って画像をつくるけれど、X線写真は、物体を通りぬけたX線という放射線から画像をつくるんだ。X線画像の白い部分は、放射線を吸収する、骨などの密度の高い物質によって生まれる影だ。肺や皮膚などの軟組織は、X線を部分的にしか吸収しないため、灰色に見えるんだよ。黒っぽく見える部分はX線が完全に通りぬけたところだ——このような性質があるため、折れたり、ヒビが入ったりした骨を見るのに、X線はぴったりなんだ。

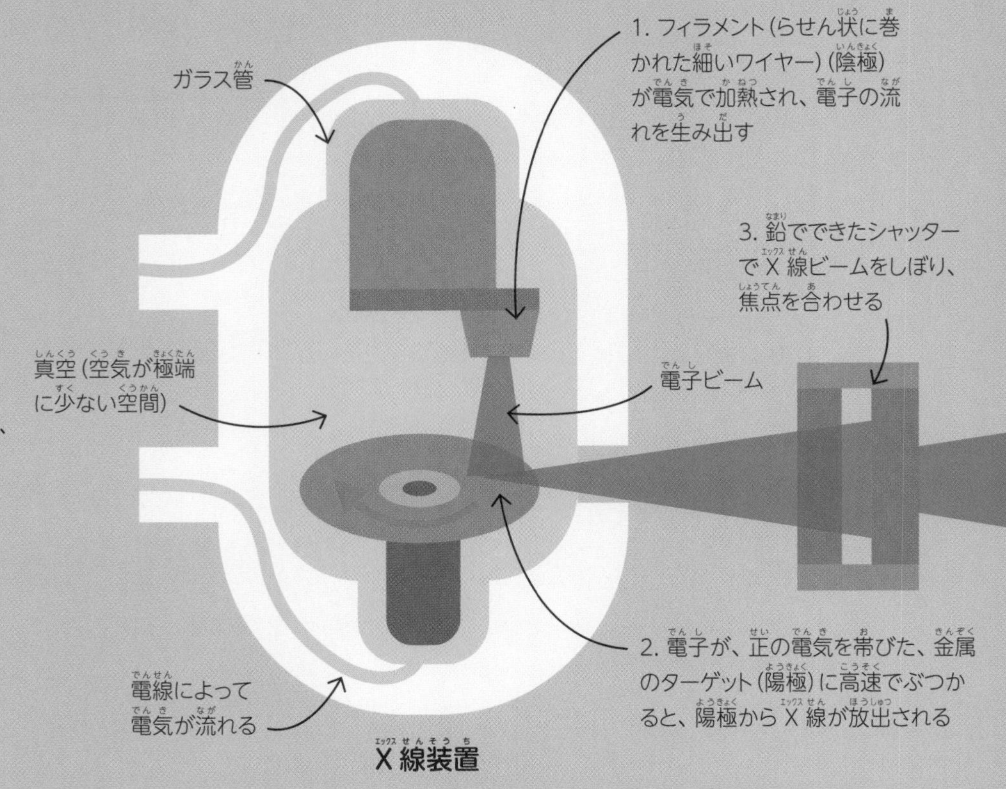

X線装置

なぜ、X線は重要なの？

X線は、体の骨や歯に問題があるところを見つけるのに便利だ。でも、それだけじゃない。テロリストを捕まえたり、分子の構造をつきとめたりするのにも役に立っているんだ。科学者が、DNA（遺伝子をもつ本体となる物質）の分子構造を最初に発見したのも、X線のおかげなんだよ。

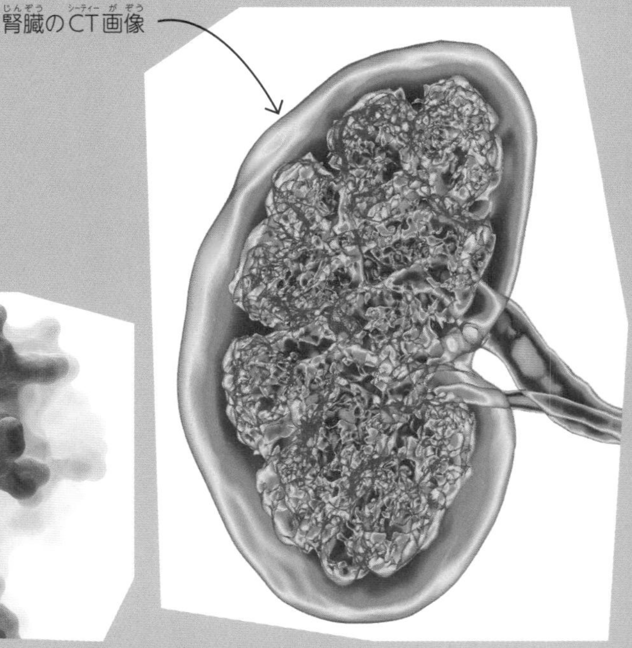

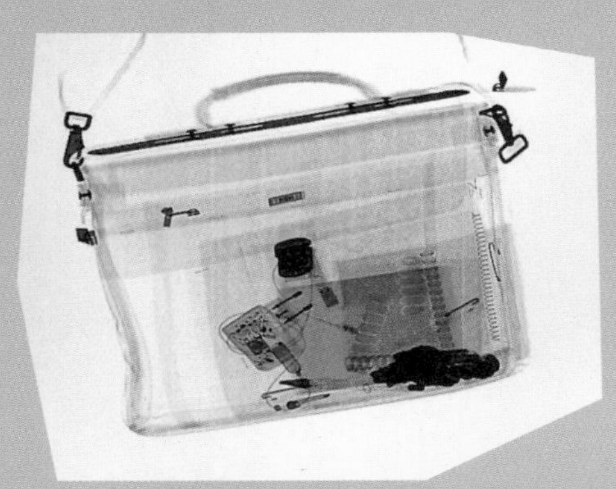

空港保安検査

X線スキャナーは、空港で飛行機に乗るお客さんのカバンや体を検査するのに使われている。危険物や飛行機の中への持ち込みが禁止されているその他のものをもっていないか、調べるためだよ。

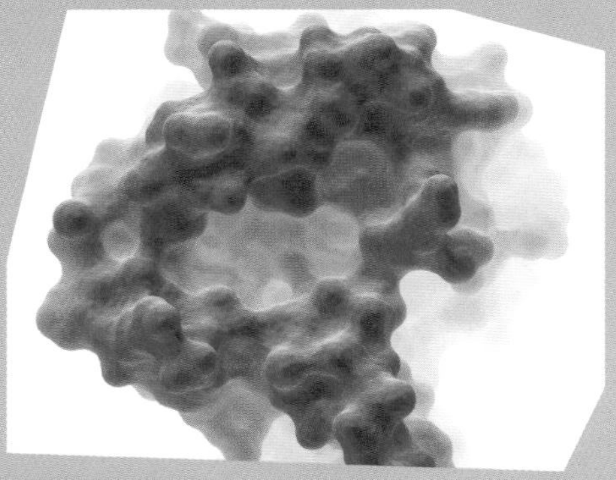

分子構造

X線は、結晶やそのほかの固体に当てると、独特のパターンで散乱する（光が色々な方向に進路を変える）。科学者は、これらのパターンを、その物質の分子構造を明らかにするのに利用できるんだ。

CTスキャン

コンピューター断層撮影（CT）機は、医療用のスキャナーで、さまざまな角度から撮影された、たくさんのX線画像を組み合わせて、体の中のくわしい3D（立体）画像をつくるんだよ。

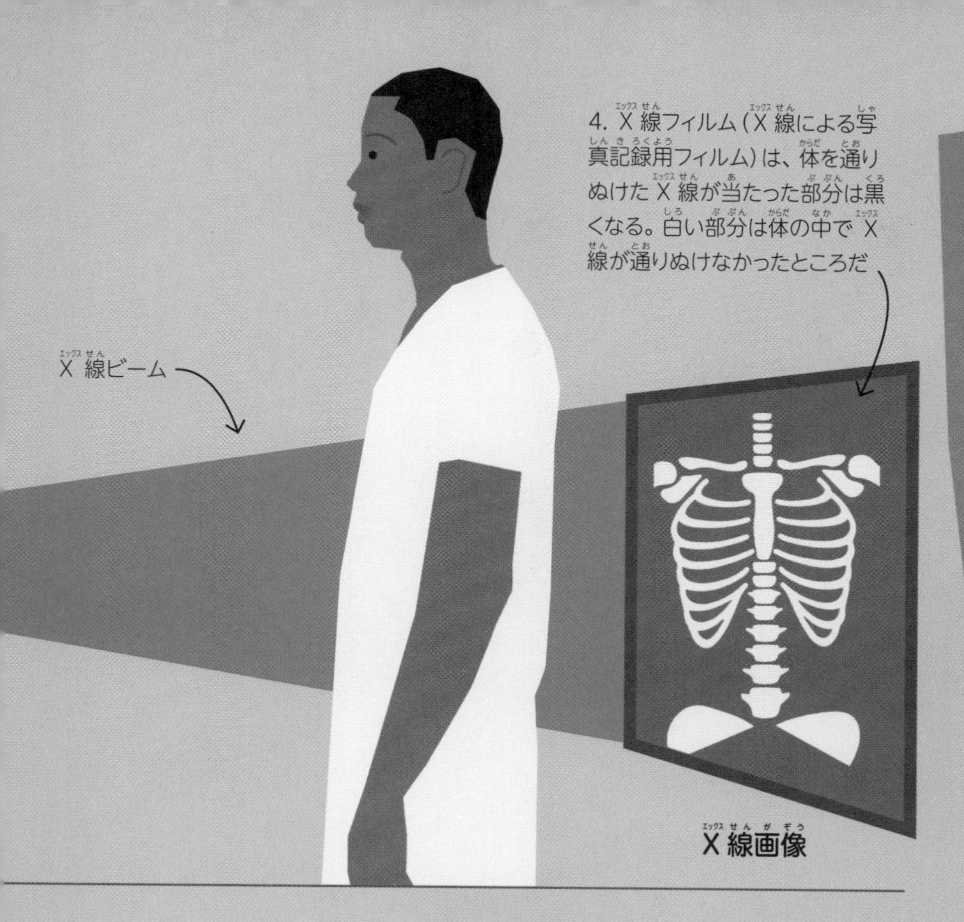

ホントの話

宇宙にあるX線

恒星や銀河は、可視光線（目に見える光）を放つだけじゃない――X 線も出しているんだよ。天文学者は、たとえば、ブラックホールや爆発した恒星が残す天体（超新星残骸）など、可視光線では完全には見えないものの研究に、X 線望遠鏡を使っているんだ。

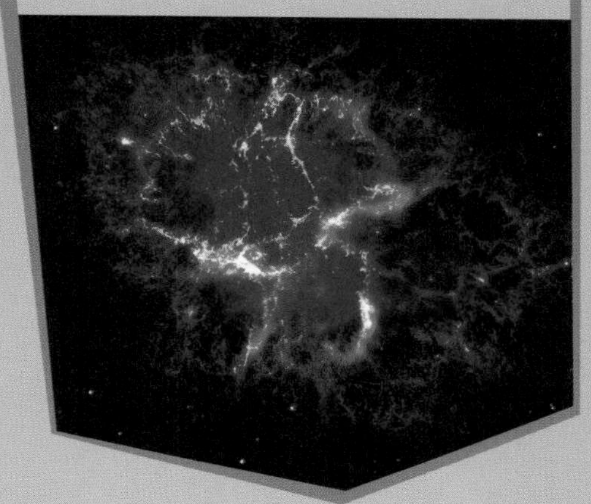

やってみよう ※大人の人といっしょにやろう

影遊び

X 線は可視光線に似ているけれど、それよりずっと高いエネルギーをもっているため、簡単に物体を通りぬけることができる。このしくみを理解する実験をしてみよう。必要なのは懐中電灯、そして真っ暗にした部屋だ。

最初に、懐中電灯のスイッチを入れ、光線の前に立ってみよう。きみの体は、すべての光エネルギーを吸収または反射するので、きみの後ろには影ができる。これは、X 線が骨のような高い密度の物質を通りぬけられず、X 線写真で白く写るのと同じことなんだ。

次に、懐中電灯の光を手でおおってみよう（懐中電灯の点灯部分は熱いので、直接さわらず、短時間の観察にとどめよう）。きみの手は、ほとんどのエネルギーを吸収するけれども、一部は通りぬけて、皮膚がボーッとかがやく場合がある。X 線の場合は、可視光線よりずっと高いエネルギーをもっているので、皮膚のような軟組織なら、もっとずっと簡単に通りぬけられるよ。

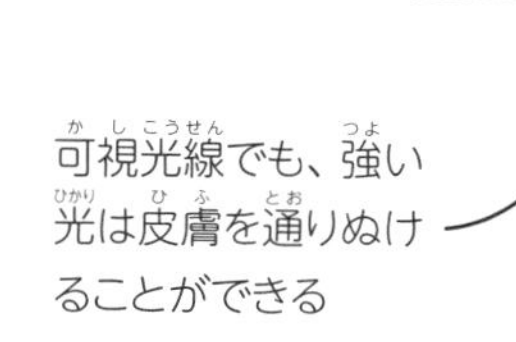

可視光線でも、強い光は皮膚を通りぬけることができる

1 昔は、航海中の氷山の発見は、見張り役の人の目にたよっていた。でも、夜になると、海にうかぶ危険物は見づらくなるんだ。1912年4月14日の真夜中少し前、タイタニック号は氷山にぶつかって海に沈み、乗っていた1,500人以上の人々が命を落とした。

どうやって潜水艦を見つけるの?

1912年、タイタニック号という大きな客船が、氷山にぶつかって海の底に沈んだ事故のあと、科学者たちは、水中にかくれている障害物を発見する方法をいろいろと探し始めた。その2年後、第一次世界大戦が始まると、この課題解決をさらに急がなければならなくなった。それまでにはなかった、潜水艦による攻撃が始まったからだ。そうこうするうち、自然からヒントをもらって、やっと見つけた解決策は、光ではなく音で「見る」ことだった。この方法を利用した装置は「ソナー」(水中音波探査機)として知られるようになったんだよ。

2 1914年、ドイツ軍の潜水艦が、大西洋を横断する連合軍の国々(イギリス、アメリカ、フランスなど)の民間の貨物船を攻撃し始め、海の旅はさらに危険なものになったんだ。

潜水艦は、食料やそのほかの生活必需品を運ぶ、民間の貨物船を攻撃した

もっとくわしい科学の話

音で「見る」

コウモリやイルカは、暗やみやにごった水の中で獲物をつかまえるために、天然の「ソナー」を使っているよ。これは、反響定位(エコーロケーション)、またはバイオソナーとよばれているものなんだ。自分が出した高周波のなき声(クリック音)が獲物に当たってはね返ってくる反響(エコー)をとらえ、それによって獲物がどこにいるか、脳が絵のようなものにつくり上げるというしくみなんだよ。

イルカは1秒間に最大で600回ものクリック音を出す

反響音がもどるのにかかる時間で、イルカが獲物からどれだけ離れているかがわかる

音波は獲物に当たってはね返り、反響としてもどる。どの方向から反響してくるかによって、獲物の位置がわかるんだよ

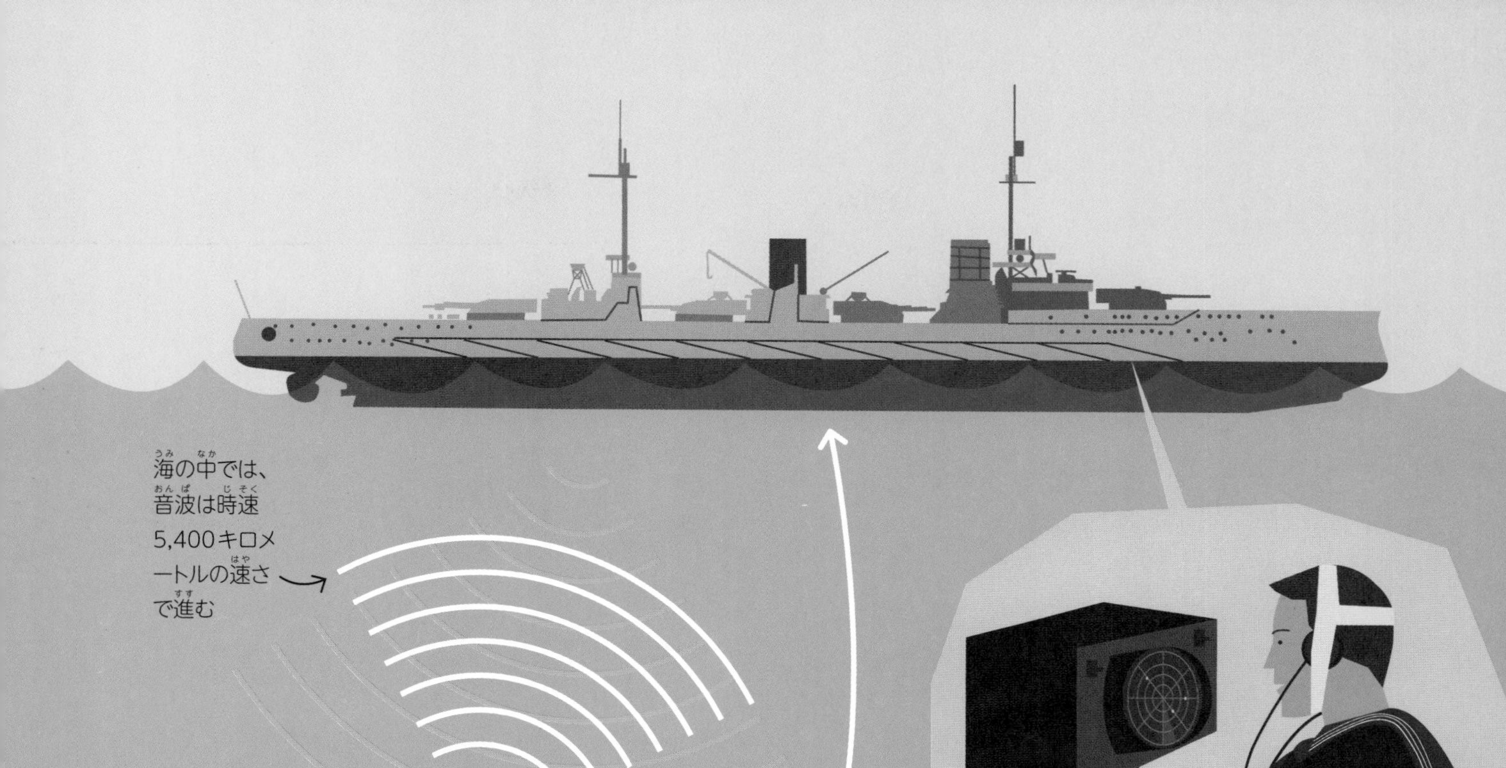

3 1939年、第二次世界大戦が始まる前までに、連合国の科学者たちは解決策を見つけた。自分たちの軍艦に、高周波の音波（高い音）のビームを水中に送る装置を取り付けたんだ。その音波が敵の潜水艦に当たってはね返り、軍艦の受信機にもどってくるというしくみだよ。

4 軍艦の指揮所にある装置には、もどってきた音の情報から、潜水艦の正確な位置が示される。これで、乗組員は「爆雷」（前もって調整した深さまで沈んだときに爆発する爆弾）をどこに落とすか、計算できるというわけだ。こうして、連合軍の軍艦はドイツ軍の潜水艦と戦う手段を手に入れたんだよ。

コウモリは、獲物が動く速さと方向も「見る」ことができる。これは、ねらった獲物が動くと反射音の波長が変わるからなんだ。軍艦のソナーの装置は、これと同じ原理を使って、ねらいをつけた相手の位置・動きの速さ・動く方向を計算しているんだよ。

コウモリに向かって飛んでくるガの場合、反射する音の波がちぢめられるため、反響音は高くなる

コウモリから離れるように飛んでいくガの場合、反射する音の波が広がるため、反響音は低くなる

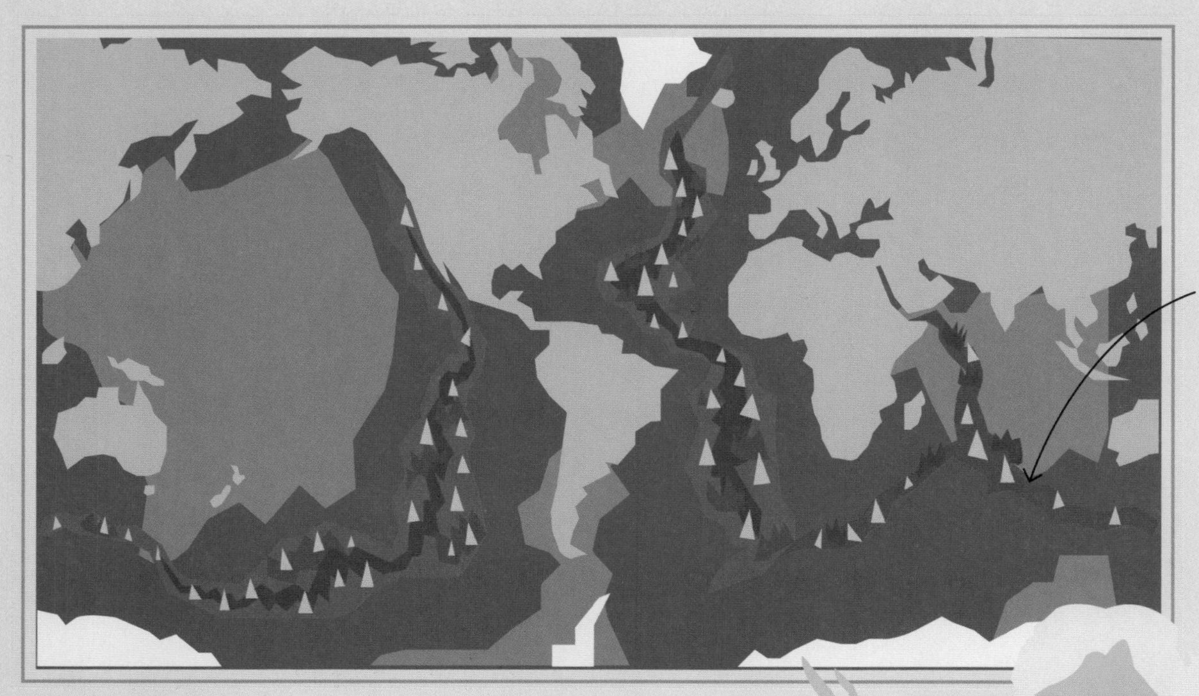

この中央海嶺系は、世界最大の山脈だ

海の底に連なる山脈

船からソナーで船の真下を調べることによって、科学者たちは海底の深さが調査できることを発見した。このことが、1950年代に、アメリカの科学者、マリー・サープがブルース・ヒーゼンとの共同研究で果たした、驚くべき発見につながった。地球のすべての海を取り巻くように、海山（海底にある山）が長く連なっていることがわかったんだ。これは「地球の表面は、プレートとよばれる、十数枚の岩石の層におおわれている。プレートはかたい岩石でありながら1年間に数センチメートルの割合で動いていて、となり合うプレートどうしがぶつかるところで山脈ができる」という新しい理論を裏づけするのに役立つ発見だった。

ソナーと海の生き物

現在では、漁船は、ソナーを使って魚の群れを探知して、網をどこに投げるかを決めているんだよ。また、科学者は、魚の群れを調査して、乱獲（むやみに大量にとること）によってそれぞれの種類の魚の数が減少していないか、確認するのに、ソナーを利用しているんだ。

魚の群れを探すために、魚群探知機というソナーが使われている

一部の科学者は、船からのソナーの音波がイルカやクジラをこわがらせ、獲物を見つける能力に悪い影響を与える可能性があると考えている

レーダー

水の中でソナーが使われるように、地上では、目標とする物を人の目よりもはるかによく見つけるために、レーダーが使われている。レーダーは、音波の代わりに電波を使っている。電波は、光の速さで進み、音波よりもずっと遠くまで届くことができるんだ。空港の航空管制システムは、離陸や着陸をする、すべての飛行機を見守り、飛行機どうしがぶつからないように、飛行機の運行を調整しているんだよ。

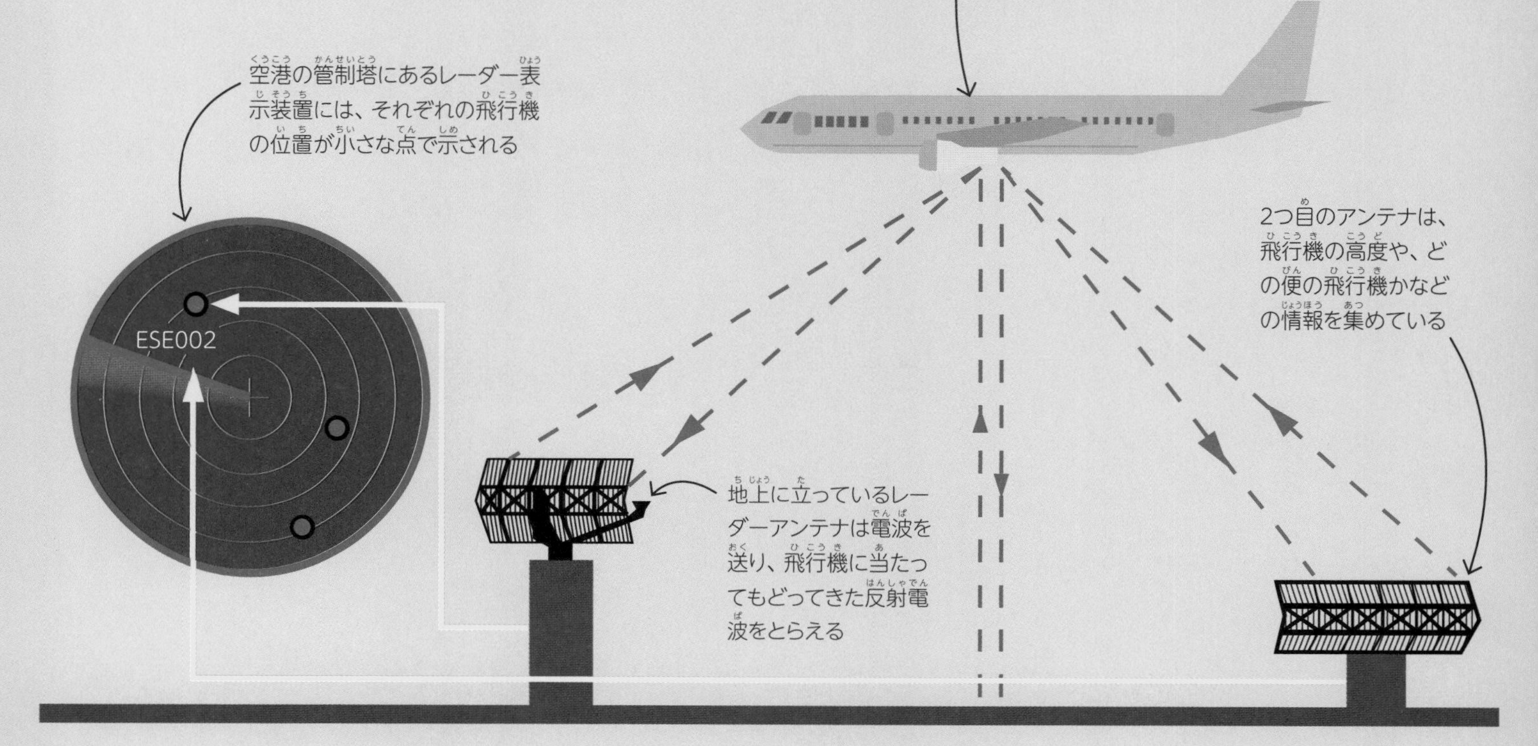

ホントの話

超音波検査（エコー検査）

超音波スキャナーは、反響（エコー）を利用して、人間の体の中を調べる装置だ。たとえば、医師は超音波検査で、赤ちゃんが母親の体の中で問題なく育っていることを確認したり、赤ちゃんが男の子か女の子かを調べたりしているよ。超音波スキャナーは、人間の耳では聞き取れない、周波数のとても高い音波（超音波）を使っているんだ。

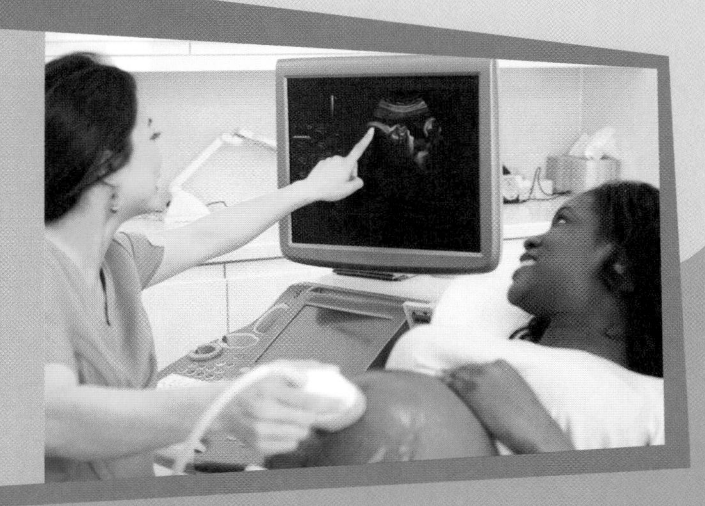

すばらしい物理学者たち

単純な装置をつくることから、重力を理解することまで、人類は、かなり初期の時代から、日常生活の中で物理学にかかわるアイデアを利用してきた。優れた知性をもった人たちが、エネルギーから運動、そして光から音まで、わたしたちの世界に起こるものごとのしくみをより深く理解できるように導いてきてくれたんだ。現在では、科学者たちが空間と時間についての気が遠くなるような疑問に取り組むにつれて、物理学の範囲はますます広がっているんだよ。

大昔の「原子」

古代の思想家たちは、現在の「原子」の考え方に影響を与えた理論を思いついていた。インドの哲学者、カナーダは「この世のあらゆるものは、さまざまな方法で組み合わされた、それ以上分けられない粒子で構成されている」と考えた。また、古代ギリシアの哲学者、デモクリトスは、それ以上分けられない無数の粒子について、カナーダと同じような考えをもち、その粒子を「それ以上分割できない」という意味のギリシア語にちなんで、「atomos（アトモス）」とよんでいた。

紀元前2000年ころ

紀元前4世紀

紀元前200年ころ

初期のてこ

「てこ」は、物を楽にもち上げるために、物理学の原理を利用している、単純な装置だ。古代メソポタミアと古代エジプトの人々は、土地にまく水を川からくむのに「はねつるべ」とよばれる装置を使っていた。この装置は、今でも一部の農村などで使われているんだよ。

最初の方位磁石

古代の中国では磁石の性質がある鉱物（磁鉄鉱の仲間の天然磁石）を使って方角を知る、一種の方位磁石（方位磁針やコンパスともいうよ）が発明された。それは、石をけずってレンゲ（中華料理で使うスプーン）の形にし、青銅の板の上に置くものだった。板が動かされても、天然磁石のレンゲが回転して、もち手はいつでも南を向くようになっていたんだ。

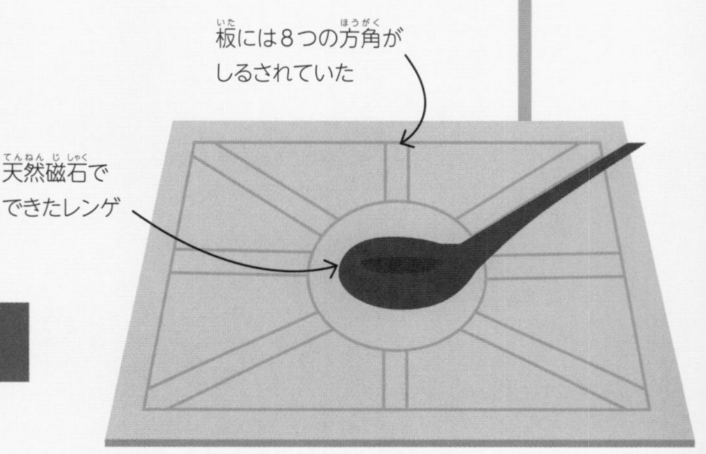

目で見えるしくみ——視覚の理解

古代から、学者たちは「物が見えるのは、目から光を放つからだ」と信じてきた。でも、アラブの学者、イブン・アル=ハイサムは、その考えを大きく変え、現在の考え方に近づける重要な役割を果たした。彼は「実際には、物から反射した光線が目に入り、物の画像がつくられる」と説明したんだ。さらに、影、日食、虹についても説明したんだよ。

ねえ、知ってる?

科学革命

ヨーロッパでは、人々がものごとのしくみを考えるとき、古代ギリシアの考えをもとにすることが多かった。でも、1540年代以降、学者たちはこれらの古い考えに疑問をもち始め、観察と実験にもとづいて世界を見る、新しい方法を考え出したんだ。こうして近代科学ができあがっていった時代を、今では「科学革命」とよぶようになったんだよ。

1021年　1589年　1670年代

落下する物体

イタリアの天文学者で数学者のガリレオ・ガリレイが、自分の理論を実験で試したとされる“ピサの斜塔”の実験がある。アリストテレスは、高いところから落とした場合、重い物体は軽い物体よりも速く落下すると主張した。ガリレオはそれに賛成せず、有名な“ピサの斜塔”から、質量の異なるボール型の大砲のたまを2つ同時に落とす実験をおこなった。ガリレオは正しかった。質量が違えば重力も違うが、それでも同時に落下することを示したんだ——ただし、ガリレオがピサの斜塔で実験したというのは、のちに弟子がつくった話で、実際にはしていないようだよ。

ガリレオの実験では、2つのたまは同時に着地した

ニュートンのリンゴ

祖母の果樹園で、木からリンゴが落ちるのを見たとき、アイザック・ニュートンは「リンゴは、空に向かって上向きにでもなく、横に向かってでもなく、なぜいつも地面に向かって下向きに落ちるんだろう」と不思議に思った。このニュートンの好奇心が、重力に対する、より深い理解につながり、惑星や衛星（月のように、惑星の周りを回る天体）の軌道は、重力によってどうやって生まれているのかを明らかにしたんだ。

光の正体

古代から、科学者たちは、光にかかわる2つの理論について議論してきた。イギリスの科学者、アイザック・ニュートンは「光は小さな粒子の流れでできている」と考えていた。ところが、オランダの科学者、クリスチャン・ホイヘンスは、その考えに賛成しなかった。そして「水面を移動するさざ波のように、光は波として移動する」と反論したんだ。実は、2人の科学者は両方とも正しかった。現在知られているように、光は「波」のような性質と、「粒子」のような性質の両方をもっているんだよ。

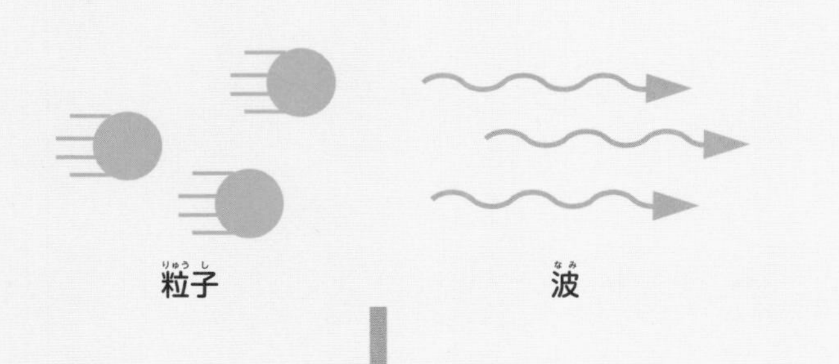

相対性理論

アルベルト・アインシュタインの研究は、宇宙のあらゆるものにかかわる、わたしたちの理解をすっかり変えてしまった。アインシュタインの有名な方程式、$E = mc^2$は、物質の質量 (m) とエネルギー (E) はたがいに変換できるということを示している。その後、アインシュタインは、光と時間と空間が重力によってどのように影響を受けるか、明らかにしたんだ。その理論は、ブラックホールやビッグバンのような、宇宙の大きな謎の理解と探求へと科学者たちを導いたんだよ。

1687年

1831年

1905~1917年

検流計は電流が発生したかどうかを測っている

磁場

磁石をコイルの中に出し入れすることによって、電流が発生する

ねえ、知ってる?

光の速度

デンマークの天文学者、オーレ・レーマーは、木星の月“イオ”の日食を研究したあと、1676年に、光の速度は無限大ではなく、測定できると発表した。それは、何世紀にもわたるそれまでの考え方とは正反対だった。それでも、精度の高い測定は難しく、技術の進歩によって、ついに正確な測定値が決まるまで、そこからさらに300年かかったんだ。光の速度は、真空中で秒速29万9792.458キロメートルだったんだよ。

電磁気の研究

イギリスの科学者、マイケル・ファラデーは、電気と磁気(磁石がもつ性質)の重要なつながりを見つけた。コイルの中に磁石を出し入れすることによって、電流が発生することを発見したんだ。この電磁誘導といわれる現象を利用して、ファラデーは世界初の発電機を発明したんだよ。今、きみたちの家で使われている電気をつくっている発電機は、ファラデーの発明がもとになっているんだ。

核分裂

オーストリアの物理学者、リーゼ・マイトナーと甥のオットー・フリッシュは、ウランという元素について研究していたとき、原子核は、より小さい粒子に分けられること、そして、そのときに、とてつもなく大きいエネルギーを放出する反応が起こることを発見した。「核分裂」とよばれる、このプロセスは、のちに原子力発電に発展した――そして、原子爆弾の製造にもつながったんだ。

LHCは一周が27キロメートルもある、電磁石でできた円形のトンネルだ

万物の理論

科学者たちは、フランスとスイスの国境に、世界最大の実験装置を建設することで、ビッグバンの状態を再現しようとしてきた。ビッグバンとは、宇宙を誕生させたと考えられている、はるか昔に起きた大爆発のことだ。大型ハドロン衝突型加速器（LHC）という、その装置の中では、ハドロンとよばれる素粒子（物質を構成する最小単位の粒子）を、ほぼ光の速さでたがいに衝突させている。こうした実験によって、素粒子に働く4つの力を統一した理論ですべて説明できないかと科学者たちは考えている。それが、宇宙のあらゆるもの（万物）を理解できる究極の理論――万物の理論だ。

1911年　1938年　2008年　2019年

原子核

古代から、科学者たちは、原子が物質を構成する最も小さい単位で、それ以上分けることはできないものだと考えていた。ニュージーランド出身のアーネスト・ラザフォードと助手たちは、原子の中に電気を帯びた、さらに小さい粒子があることを発見した。そして、原子の中心には、正の電気を帯びた小さな原子核があり、その周りを負の電気を帯びた複数の電子が回っている原子模型を考え出した。その後の研究で、原子核はさらに小さな粒子に分けられることがわかったんだよ。

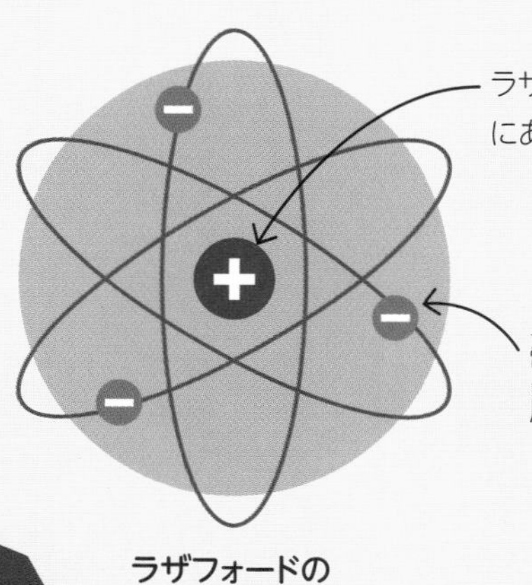

ラザフォードの原子模型

ブラックホール

アインシュタインの理論は、結果的に、科学者たちがブラックホールの存在をはっきりさせることにつながった。ブラックホールとは、重力がものすごく強いため、光さえも逃げることができない宇宙の領域のことだ。ケイティともよばれるキャサリン・ルイーズ・バウマンは、アメリカのコンピュータ科学者で、特別に開発したプログラムによって、世界初のブラックホールの画像撮影を成功に導いたんだよ。

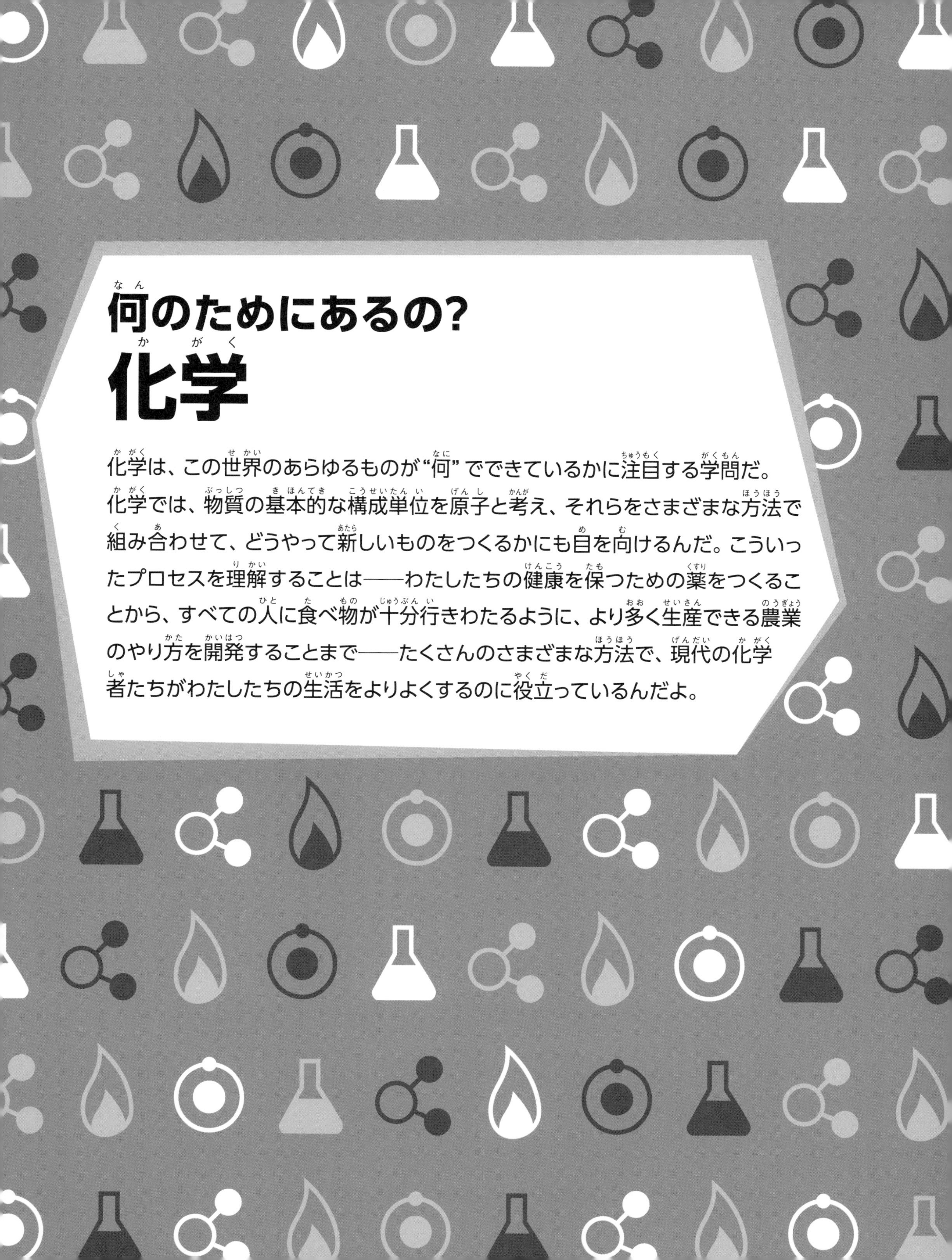

何のためにあるの？
化学

化学は、この世界のあらゆるものが“何”でできているかに注目する学問だ。化学では、物質の基本的な構成単位を原子と考え、それらをさまざまな方法で組み合わせて、どうやって新しいものをつくるかにも目を向けるんだ。こういったプロセスを理解することは――わたしたちの健康を保つための薬をつくることから、すべての人に食べ物が十分行きわたるように、より多く生産できる農業のやり方を開発することまで――たくさんのさまざまな方法で、現代の化学者たちがわたしたちの生活をよりよくするのに役立っているんだよ。

なぜ、化学が必要なの？

化学の中心となるのは、原子、化学反応、状態変化だ。化学は、さまざまなものが“何”でできているのか、そして、それらがさまざまな状況でどのような様子を見せるのか――たとえば、それらが結びついたり分かれたりするときや、それらを熱したり冷やしたりしたときに何が起こるか、といったことに注目する。化学は、わたしたちの日常生活にとって、信じられないほど重要なものなんだ。自動車や飛行機の燃料をつくり出すのにも、わたしたちの食べ物をおいしく、長持ちさせるのにも化学が役に立っているんだよ。

化学ってどういうもの？

化学は、物質の特徴や構造を研究している。原子は物質をつくる最も小さい粒子だけど、物質の性質を表すのは、原子が結びついてできた「分子」だ。原子の組み合わせや結びつき方によって、その物質の性質が決まるんだよ。この点からいうと、化学は、まるで“料理”みたいだ――さまざまな材料を熱したり、冷やしたりすることで、“別の料理”ができあがる。そして、材料の中には、水のように、固体・液体・気体のどの状態にもなって、いろいろな使い道で利用されるものがあるからね。

ホントの話

空にかがやく光のカーテン

プラズマは、分子が電気を帯びた原子と電子に分かれている、不安定な状態の気体だ。太陽から放出されたプラズマが地球の大気の最も高いところにぶつかると、オーロラとよばれる、空にかがやく美しい光のカーテンが現れることがあるんだよ。

水蒸気のように、気体は、分子どうしがばらばらで、すばやく自由に動き回る――水蒸気が広がるのはそのためだ

水が凍ると固体の氷になる――固体の場合、物質を構成する分子どうし、または原子どうしがしっかりと結合して、その形を保っている

水を沸騰させると、水の分子の動きが速くなり、水（液体）から水蒸気（気体）になる「状態変化」が起こる

温度変化によって、物質の状態（固体・液体・気体など）が変化する

液体の水が流れやすいのは、水の分子が、ある程度自由に動けるためだ

日常生活の中の化学

化学のおかげで、わたしたちの日常生活に役立つ、重要な新しい物質がたくさんつくり出されている。また、生き物のしくみを原子や分子で理解できるようにしたのも化学なんだよ。実際、わたしたちの体の中では、食べ物の消化から筋肉を動かすエネルギーを生み出すことまで、生き続けるためにさまざまな化学反応（化学変化）が起こっているんだ。

いくつかの物質を混ぜたとき、どんなことが起こるのかを理解することは、効果の高い新しい薬を科学者がつくり出すのに役に立つ。

化学者は、たとえば「かたさ」など、さまざまな材料の特徴を研究している。ダイヤモンドは地球上で見つかる天然物質の中で、最もかたいんだよ。

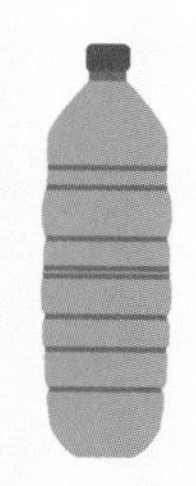

世界で最初のプラスチックは、1世紀以上前に実験室で発明されたんだ。プラスチックは、原油や天然ガスのような天然物質からつくられているんだよ。

ヘリウムガスでふくらませたパーティー用の風船がうかぶのは、空気の成分のおもな2つの気体、窒素と酸素よりも、ヘリウムがずっと軽いからなんだ。

火事は化学反応で、消火の水が反応を止める。火に水がかかり、水が水蒸気に変わるとき、周りから熱を取りさり温度を下げ、燃えるのに必要な酸素を遠ざける。

元素ってどんなもの？

元素とは、物質をつくっている原子の種類のことなんだ。これまでにわかっている元素は118種類で、それぞれが特有の性質をもっているんだよ。同じ元素どうしでも、違う元素どうしでも、その原子が結合すると「分子」ができるんだ。

水の分子（H_2O）は、水素原子2個と酸素原子1個でできている

H H O

原子と原子の結びつきを化学結合というよ

元素は、それぞれの原子番号をもっている——これは、元素の原子にふくまれる、原子核を構成する陽子の数を表しているんだよ

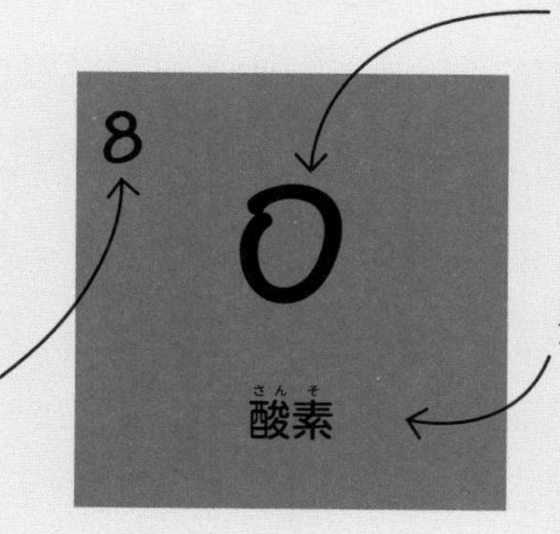

それぞれの元素には、1つか2つのアルファベット文字で表す元素記号があり、この記号に同じものは1つもない

元素名

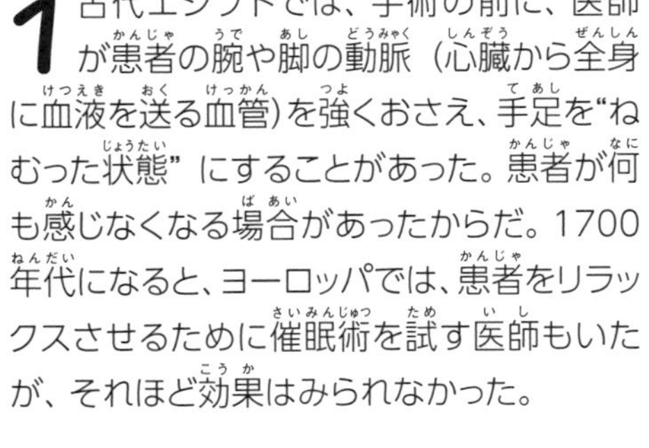

1 古代エジプトでは、手術の前に、医師が患者の腕や脚の動脈（心臓から全身に血液を送る血管）を強くおさえ、手足を“ねむった状態” にすることがあった。患者が何も感じなくなる場合があったからだ。1700年代になると、ヨーロッパでは、患者をリラックスさせるために催眠術を試す医師もいたが、それほど効果はみられなかった。

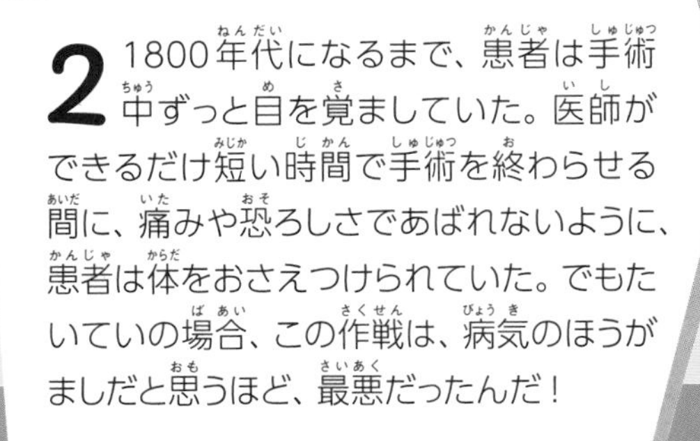

2 1800年代になるまで、患者は手術中ずっと目を覚ましていた。医師ができるだけ短い時間で手術を終わらせる間に、痛みや恐ろしさであばれないように、患者は体をおさえつけられていた。でもたいていの場合、この作戦は、病気のほうがましだと思うほど、最悪だったんだ！

どうやって痛みを止めたの？

19世紀になるまで、手術はゾッとするほど恐ろしく、ものすごい痛みをともなう治療だった。手術をおこなう医師は、手足を切断したり、傷をぬったりするときに、とんでもない苦痛から患者の意識をそらすため、さまざまな方法を試していたんだ。1800年代初めになると、科学者たちは、さまざまなガスを吸い込ませて、患者の感覚をなくすことができないか、実験し始めた。それは、手術を受ける人の苦痛をへらすだけでなく、医師が手術を無事にやりとげることだけに集中できるようにした、すばらしい医学の進歩だった。

3 1846年、ウィリアム・モートンというアメリカの歯科医が「エーテル」とよばれる麻酔ガスを、手術の前に患者に吸わせてみた。その気体が患者をねむらせたおかげで、外科医は、患者の首から腫瘍（体の表面や中にできる細胞のかたまり）の一部を切って取りのぞく手術を無事におこなうことができた。手術を終えて目をさましたとき、その患者は「首にちょっと痛みを感じるだけ」と話した。エーテルは効き目があったということだ。やがて、外科手術で麻酔薬を使うことがあたり前になった。

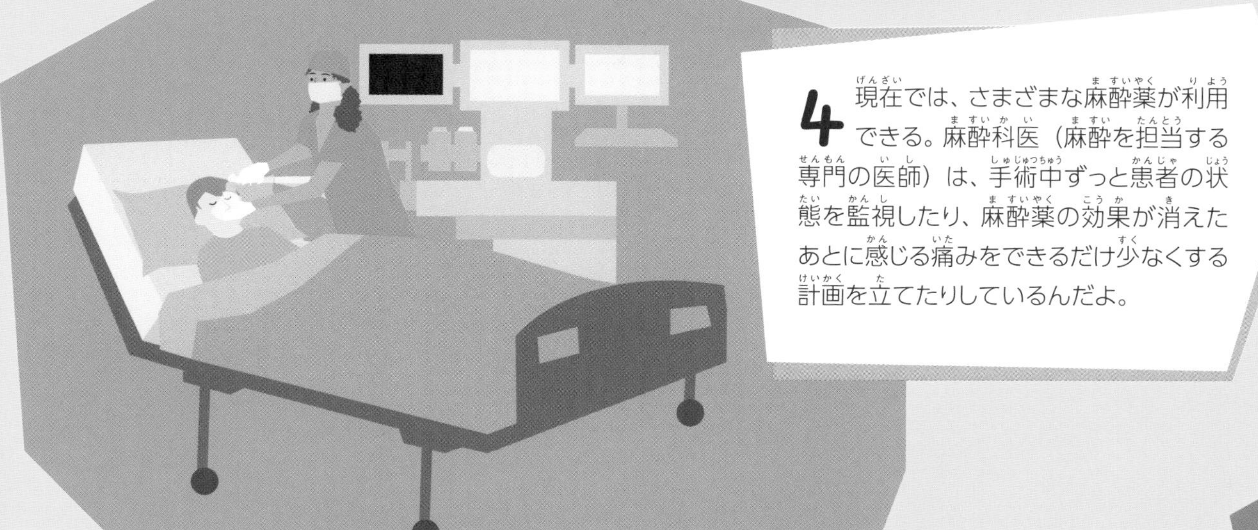

4 現在では、さまざまな麻酔薬が利用できる。麻酔科医（麻酔を担当する専門の医師）は、手術中ずっと患者の状態を監視したり、麻酔薬の効果が消えたあとに感じる痛みをできるだけ少なくする計画を立てたりしているんだよ。

痛みってどういうもの?

痛みは、体に何か異常があると教える"警告システム"だ。わたしたちが痛みを感じるとき、侵害受容器とよばれる神経細胞で、痛みの刺激を受け取る。これらの細胞が物質を放出し、神経系を通して「その痛みを止めるために、何かする必要があるよ」と教えるメッセージを脳に送るんだ。

中枢神経系は、脳と脊髄で構成されている

神経細胞が痛覚の信号(シグナル)を受け取ると、細胞体から一番長くひものようにのびる部分(軸索)を通じて、次の神経細胞に受け渡す。これをくり返すことで、信号が中枢神経系まで伝わるんだ

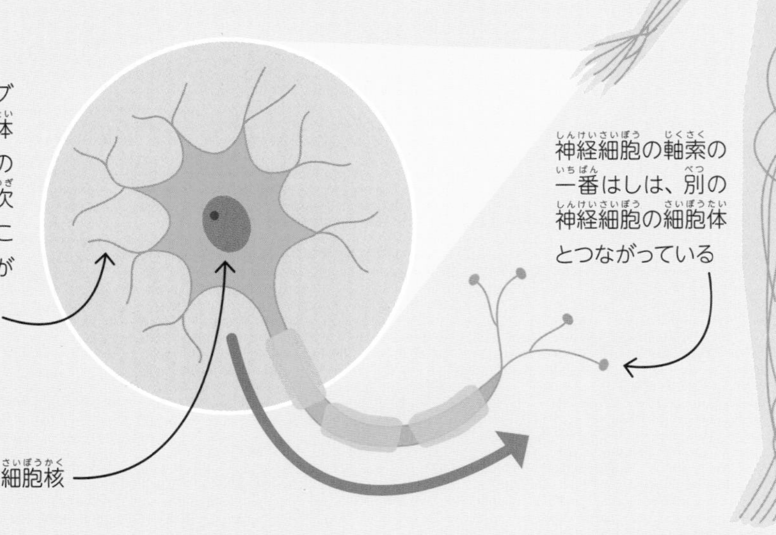

末梢神経系は、中枢神経系から枝分かれして、体のすみずみまで広がっている

麻酔薬のしくみ

最近では、局所麻酔薬で、体の特定の場所だけ感覚を失わせたり、全身麻酔薬で、一定の時間を通して完全にねむらせたりすることができる。麻酔薬の効き目がなくなると、神経信号がもとのように脳に届くようになり、患者の意識が回復して、感覚がもとにもどるんだよ。

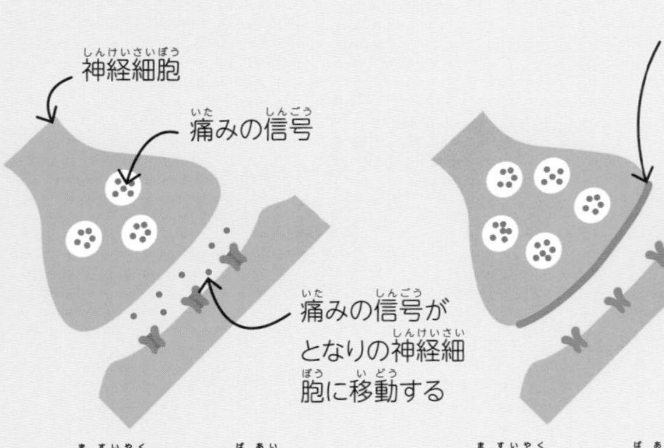

局所麻酔薬が痛みの信号をブロックするため、信号はそれ以上先に進まない

麻酔薬がない場合

麻酔薬がある場合

ふつう、脳のそれぞれの領域は、神経信号を送ったり受け取ったりすることによって、たがいに"話をしている"

全身麻酔薬は、脳のメッセージの出入りを遅くすると考えられている

麻酔薬がない場合

麻酔薬がある場合

局所麻酔薬

1つの神経細胞とそのとなりの神経細胞の間にはすきまがあるため、痛みを感じるためには、痛みの信号がこのすきまをわたらなければならない。局所麻酔薬はこれが起こらないようにするんだ。

全身麻酔薬

全身麻酔薬が効いている間、患者は意識をなくしてねむった状態になる。どうしてそうなるのか、実は完全にはわかっていないんだ。とはいえ、脳の信号の出入りを少なくおさえることと関係があるのではないかと考えられているよ。

手術中にはどんなことが起きているの?

麻酔科医は、患者に麻酔薬を与える専門の医師だ。患者一人ひとりに合わせて、麻酔薬の量を調整するので、患者は手術の間ずっと意識を失ったままで目が覚めない。全身麻酔をしている間は、麻酔科医は患者のそばにいて、ねむっている患者の心拍数(1分間に心臓が動く回数)や血液中の酸素濃度、そのほかのバイタルサイン(呼吸、体温、血圧、意識レベルなど、人間が生きるうえで重要な指標)が正常の範囲かどうか、監視しているんだよ。

全身麻酔薬が効いている間、脳は静かに落ち着いた状態で、痛みの信号に反応しなくなるので、目が覚めたとき「ちょっとだけしか眠っていなかった」と感じるだろう。

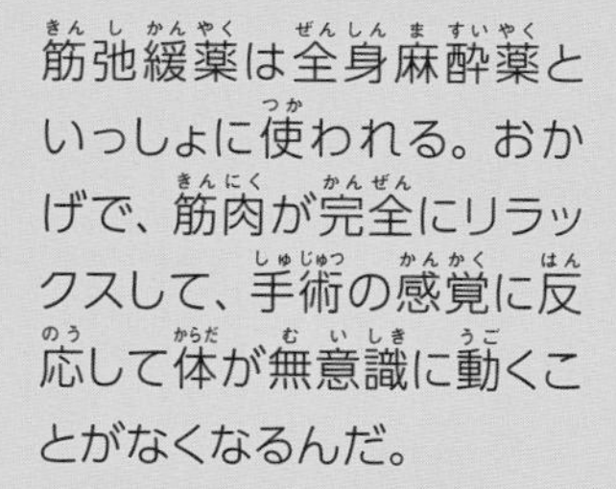

筋弛緩薬は全身麻酔薬といっしょに使われる。おかげで、筋肉が完全にリラックスして、手術の感覚に反応して体が無意識に動くことがなくなるんだ。

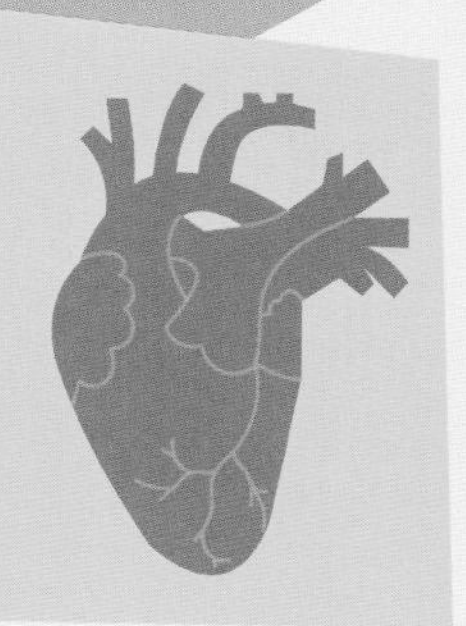

心拍数が一定で、血液を全身に流す心臓の動きが正常の範囲かどうか監視されるんだよ。

歯科医を受診すると

歯科医は、治療の内容によって、全身麻酔薬、または局所麻酔薬を使う場合がある。そのほかに低濃度の「笑気ガス」(亜酸化窒素)を使うこともあるんだ。これと医療用酸素を混合した気体を患者に吸わせると、大部分の人がよりリラックスした状態になるんだ。

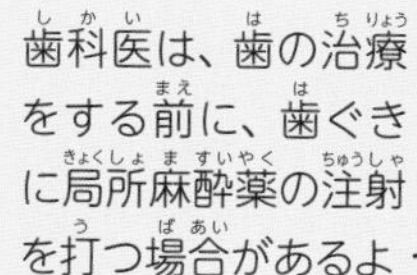

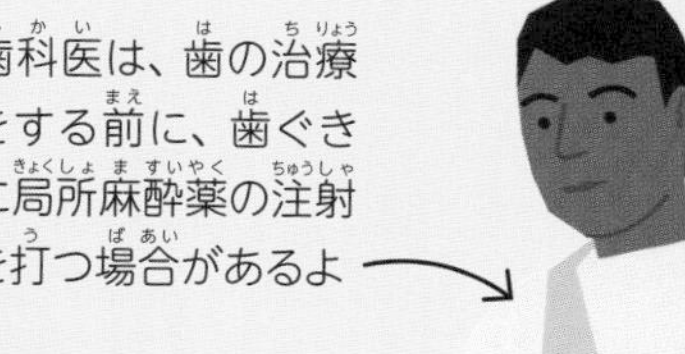

歯科医は、歯の治療をする前に、歯ぐきに局所麻酔薬の注射を打つ場合があるよ

「笑気ガス」は、歯の治療がしやすいように、たいてい鼻から吸い込む方法がとられている

ホントの話

長生きへの道

麻酔薬の登場は、医療をガラッと変える大きな改善の一つだった。現在では、医療を受ける機会が十分にある人は80歳以上まで生きられるようになり、体の苦痛が少ない、満足のいく生活を送っている人も多いんだよ。

金をつくり出すことはできるの?

錬金術師たちは、1,000年以上もの間「賢者の石」を探してきた。それは、ふつうの金属を「金」のような価値のある金属に変える力があると考えられてきた、想像上の物質だ。そんなものはもちろん発見できなかったけれど、それに費やした努力はむだにはならなかった。アラビアの錬金術師、ジャービル・イブン・ハイヤーンは、今でも実験室で使われている、たくさんの発想力ゆたかな発明品や実験操作の技術を考え出したんだよ。

1 何世紀もの間、錬金術師（魔術を信じていた、初期の科学者）は、鉛のような「卑金属」を、金や銀のような「貴金属」に変えようとしてきた。そのころはだれも、これが不可能なことだなんて、少しも疑わなかったんだ。

ジャービルは、硫黄と水銀を混ぜることによって、どんな金属でもつくれると考えていた――金でさえもね！

2 それまでの学者たちとは違い、ジャービルは実験をすることで答えが見つかると考えた。そして、何度もはてしなく実験をくり返し、その中で、新たな物質を発見したり、化学の実験操作の技術を開発したりしながら、自分の実験結果を注意深く記録していた。

3 ジャービルは、自分の発見について、何百という本を書いたことで高く評価されている。これらが魔術と迷信の時代に別れを告げ、化学が実験にもとづく現代科学に発展する道を開いたんだ。
ジャービルが考え出したレトルトというガラスの実験器具は、液体を入れて熱することによって、液体に溶けている物質を取り出すのに使われているよ
ジャービルは、20種類の化学の実験器具を発明し、それらを使って「結晶化」「昇華」「蒸発」「蒸留」といった実験操作の技術を生み出したんだよ

科学的方法

ジャービルは、ものごとのしくみを発見するために、実験という方法をとった。これが、科学を"魔術"から遠ざけることにつながったんだ。実験は、現在「科学的方法」とよばれているものの中心になっている。科学的方法とは、科学者が一つのアイデアを考え、それが真実かどうかを確認するために、一つ一つのステップを順番におこなっていくプロセスのことだ。もしも、この科学的方法がなかったら、現在わかっている知識や科学の内容を手に入れることはできなかっただろう。

ホントの話

思いがけない幸運

科学の歴史では、"偶然"による発見が、数え切れないほどたくさんある。このような幸運な大発見のなかには、人々の命を救ったり、社会を変えたりし続けているものもあるんだ。でも、それらの発見が実現したのは、純粋に運がよかっただけなのか、それとも、科学的方法に従った人がちょうどよい場所にちょうどよいタイミングでいたからだったのか、どっちなんだろう?

科学的方法は、1つの問題を意識することから始まる——たとえば「なぜ、池の水は緑色なんだろう?」

問題意識をもつ

↓

背景を調べる（先行研究を調べるなど）

↓

仮説をたてる

仮説とは、その問題に対して考えられる説明のことだ——たとえば「池の水が緑色なのは、"水の中にごく小さい植物が生きているから"ではないか」

↓

実験をして仮説を確かめる

仮説が正しいかどうか調べるため、実験によってデータ（情報）を集めるよ

→ **実験のやり方に問題はなかったか?**

目的に合わない実験器具や実験方法のせいで、実験が失敗することがあるよ

→ **はい** / **いいえ**

実験方法の問題点を解決する すべてのステップと設定を注意深くチェックする

やってみよう

科学者になってみよう

答えが知りたいと思う問題を1つ考えてみよう。そうしたら、科学的方法の手順にしたがって、自分が見つけだせることを調べよう。たとえば「ボウルに入れた水に、どういうものが浮くか」調べられるかな？　きみは「特定のものが水に浮く理由」を予想する仮説を立てられるかな？

ねえ、知ってる？

不老不死の薬

古代の錬金術師たちは、賢者の石をすりつぶして赤い粉にすると、あらゆる病気を治すだけでなく、人々に永遠の命を与える薬になると信じていたんだ。この想像上の薬は、アラビアの錬金術師の間では“エリクサー”とよばれていた。これが世界のいろいろなところで「不老不死の薬」として知られるようになったんだよ。

実験で得られたデータは、
新たな研究の予備知識になる
新たな問題意識をもち、
新しい仮説を立て、また実験しよう！

実験のデータに特定のパターンがある場合、グラフや表で表すと見つけやすいんだ

データを分析し、
結論を出す

結論が仮説を裏付ける
（仮説は正しかった）

結論が仮説と部分的に、または、まったく合わない（仮説は正しいとはいえない）

結果を共有する

よい科学者は実験結果を論文に書いて、ほかの科学者たちがそれを読み、同じ実験をして結果が同じになるか確認できるようにするよ

将来発見するものをどうして予測できるの?

地球上に、または、わたしたちの体の中に、あるいは、この宇宙に存在する、ありとあらゆるものは、原子とよばれる、物質の基本的構成要素の小さな粒子でできている。これまでに118種類の原子が見つかっていて、それぞれの種類は「元素」として知られているよ。すべての元素を原子の小さいほうから順にならべると、くり返しのパターンができる。これをもとに表にしたのが周期表だ。1869年に、この周期表がつくられたことは、化学の歴史の中でもトップクラスの大きな進歩だった。

1 1860年代までに、化学者たちは約60種類の元素を発見し、名前を付けていた。そのときにはすでに、それぞれの元素の原子の質量を、最も軽い水素原子の質量を基準としたとき、その何倍かで表す計算までしていたんだ。でも、この数値の中にかくれたパターンに気がつくには、才能あふれるロシアの化学者、ドミトリ・メンデレーエフの頭脳が必要だった。

2 メンデレーエフは、自分の発見は夢に出てきたのだと話した。夢の中で、原子の質量の小さいほうから順に元素をならべた表が現れ、よく見ると、化学的な性質が似ている元素が、表のたての列にならんでいたというんだ。

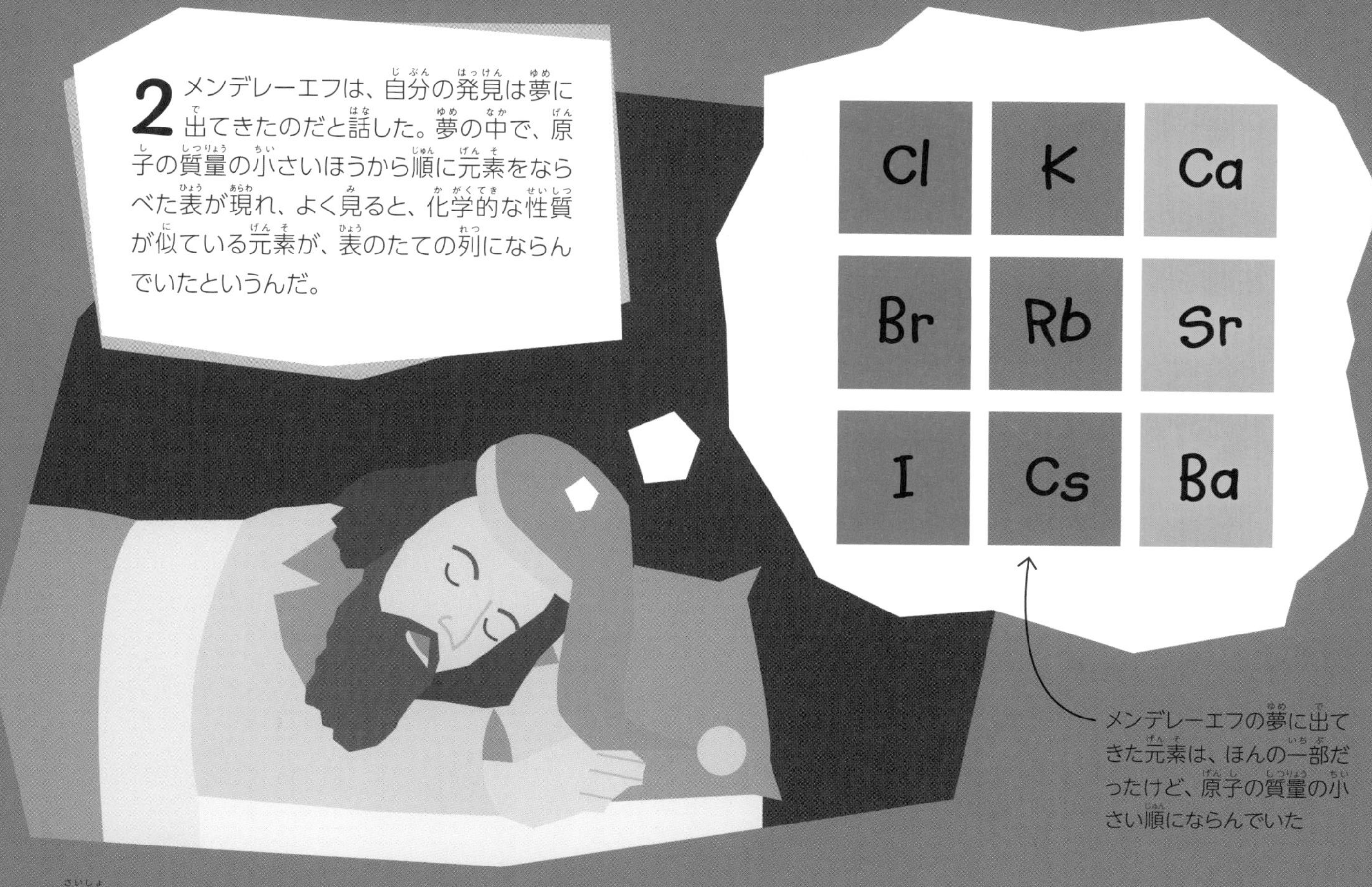

メンデレーエフの夢に出てきた元素は、ほんの一部だったけど、原子の質量の小さい順にならんでいた

最初、メンデレーエフは、表の中でまだ見つかっていない元素が入るはずの場所に、ダッシュ(—)を書いていた

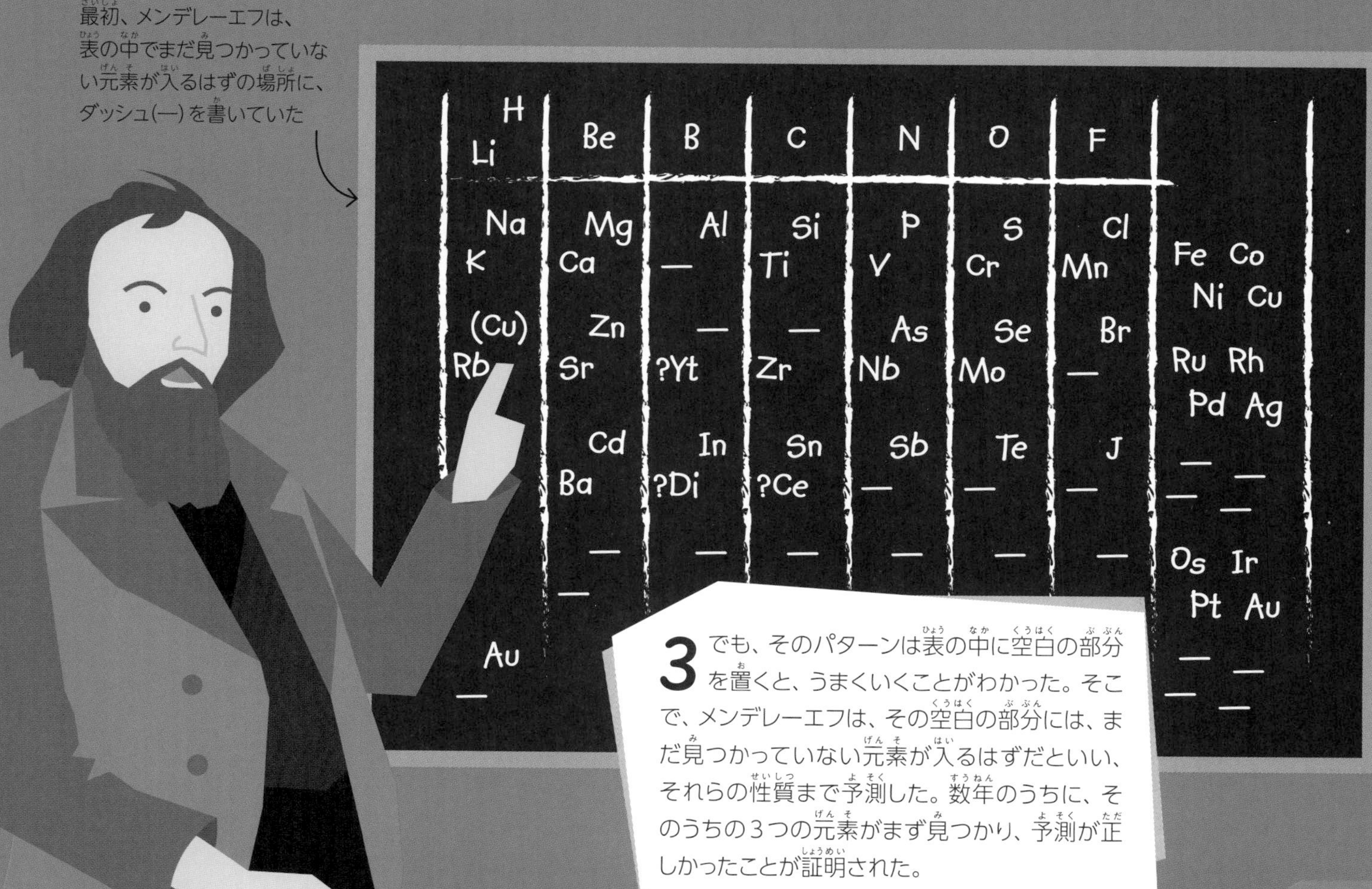

3 でも、そのパターンは表の中に空白の部分を置くと、うまくいくことがわかった。そこで、メンデレーエフは、その空白の部分には、まだ見つかっていない元素が入るはずだといい、それらの性質まで予測した。数年のうちに、そのうちの３つの元素がまず見つかり、予測が正しかったことが証明された。

原子の種類と周期表

メンデレーエフの時代から今日まで、たくさんの新しい元素が発見され、今では118種類の元素が表に書かれている。周期表とよばれるこの表は、科学者が新しい元素を見つけるためだけじゃなく、原子の構造を明らかにするのにも役に立っているんだ。原子は、陽子・中性子・電子とよばれる、さらに小さい粒子でできていることがすでにわかっている。そこで、現在の周期表は、原子の質量ではなく、原子の中にある陽子の数の少ない順にならべてあるんだよ。電子は原子核の周りをいくつかの層（電子殻）に分かれて回っていて、その一番外側の電子殻（最外殻）にある電子が、ほかの原子との結合にかかわれるんだ。表の中で同じたての列にならんでいる元素の化学的な性質が似ているのは、最外殻にある電子の数が同じだからなんだよ。

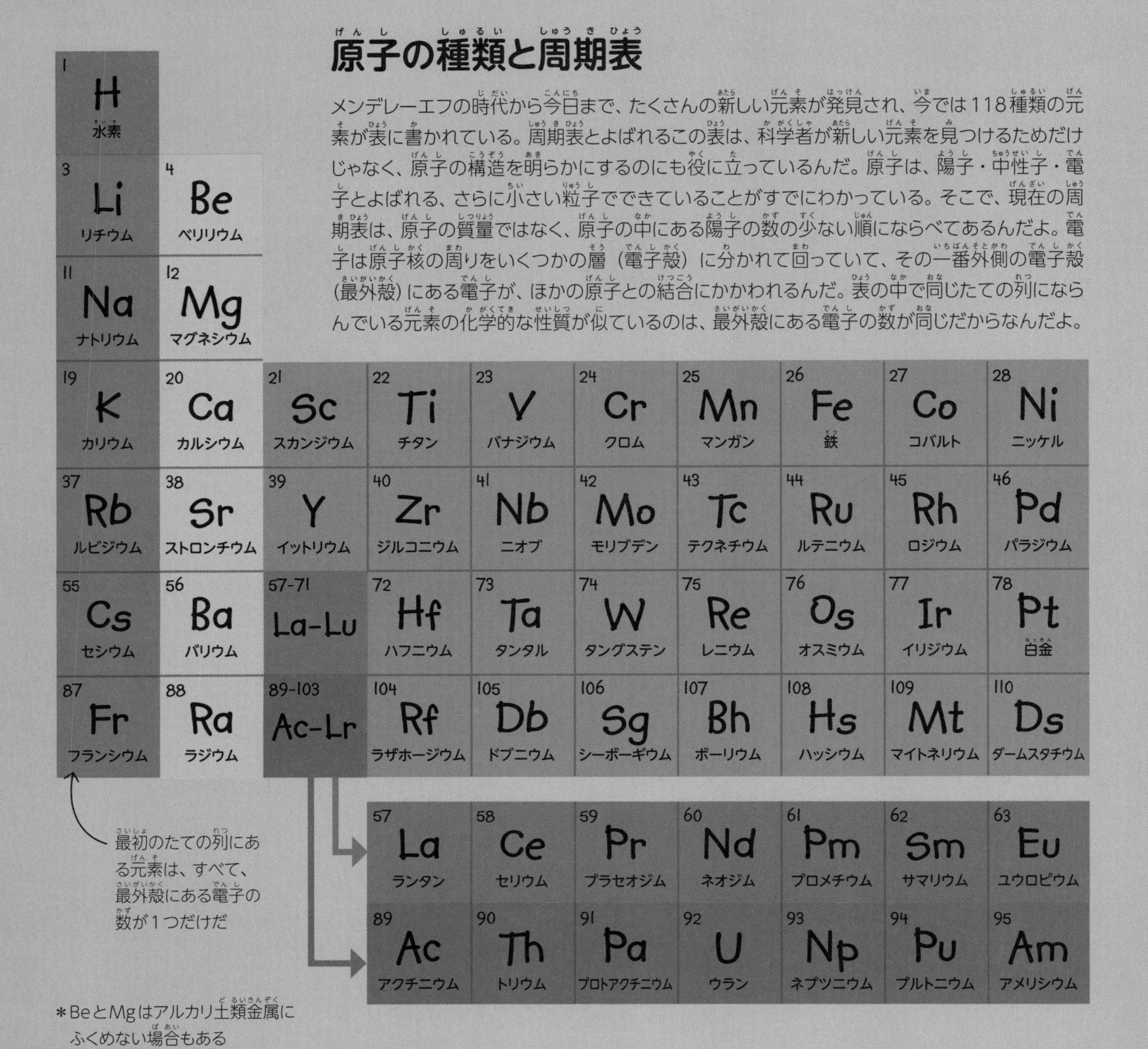

＊BeとMgはアルカリ土類金属にふくめない場合もある

貴金属

化合物をつくりにくく、純度の高い状態で自然の中で見つかるけれども、欲しい量ほどたくさん見つけることができない貴重な金属のことを、化学では「貴金属」というんだ。金や銀はその仲間で、加工もしやすいため、何世紀にもわたって人々に使われてきた。その色と輝きから、金や銀はジュエリー（宝飾品）をつくる材料として使われることが多いんだ。また、銀は細菌を殺す働きがあるので、食べ物を扱ったり保存したりする道具の材料として役に立ってきた。昔は、水や牛乳の新鮮さを保つために、それらを入れた大きなたるに銀のコインを入れたこともあったんだよ。

＊Zn、Cd、Hg、Cnを遷移金属（遷移元素）にふくめない場合もある

青色で示している元素は非金属で、これらを除いた、ほかのすべての元素は、金属か、または金属のような性質をもつものか、のどちらかだ

現在の周期表では、原子番号（原子核の中にある陽子の数）の小さい順に元素がならんでいるよ

							2 He ヘリウム
		5 B ホウ素	6 C 炭素	7 N 窒素	8 O 酸素	9 F フッ素	10 Ne ネオン
		13 Al アルミニウム	14 Si ケイ素	15 P リン	16 S 硫黄	17 Cl 塩素	18 Ar アルゴン
29 Cu 銅	30 Zn 亜鉛	31 Ga ガリウム	32 Ge ゲルマニウム	33 As ヒ素	34 Se セレン	35 Br 臭素	36 Kr クリプトン
47 Ag 銀	48 Cd カドミウム	49 In インジウム	50 Sn スズ	51 Sb アンチモン	52 Te テルル	53 I ヨウ素	54 Xe キセノン
79 Au 金	80 Hg 水銀	81 Tl タリウム	82 Pb 鉛	83 Bi ビスマス	84 Po ポロニウム	85 At アスタチン	86 Rn ラドン
111 Rg レントゲニウム	112 Cn コペルニシウム	113 Nh ニホニウム	114 Fl フレロビウム	115 Mc モスコビウム	116 Lv リバモリウム	117 Ts テネシン	118 Og オガネソン

64 Gd ガドリニウム	65 Tb テルビウム	66 Dy ジスプロシウム	67 Ho ホルミウム	68 Er エルビウム	69 Tm ツリウム	70 Yb イッテルビウム	71 Lu ルテチウム
96 Cm キュリウム	97 Bk バークリウム	98 Cf カリホルニウム	99 Es アインスタイニウム	100 Fm フェルミウム	101 Md メンデレビウム	102 No ノーベリウム	103 Lr ローレンシウム

周期

周期表の横の列は「周期」というよ。同じ周期の元素は、すべて、原子の電子殻の数が同じなんだ。

「周期」は、横の列（左から右へ一列）

族

周期表のたての列は「族」というよ。同じ族の元素は、すべて、原子の最外殻にある電子の数が同じなので、化学的な性質が似ているんだよ。

「族」は、たての列（上から下へ一列）

凡例

- 非金属
- アルカリ金属
- アルカリ土類金属
- 遷移金属（遷移元素）
- 半金属
- そのほかの金属
- ランタノイド
- アクチノイド

ホントの話

ヘリウム

ヘリウムは、元素全体で2番目に小さく、色もにおいもなく、空気よりも軽い気体なので、風船をふくらませるのにぴったりだ。また、化学反応のしやすさでは、全体で2番目に低いので、とても安全なんだよ。水素はヘリウムよりも軽いけれど、とても燃えやすく、扱いには注意が必要なんだ。

花火はどうして大きな音と光が出るの？

花火って、耳をつんざくような「ドーン」という音と、パッとかがやく目もくらむような光が出るよね。これらは、ものすごく速い化学反応によって放出されたエネルギーによるものなんだ。世界で最初の花火は古代中国でつくられた。それは火薬の発明につながる、ある偶然のできごとがあったからなんだ。その発見は、人々に音と光のショーを見せただけじゃない——世界に銃・大砲・ロケット・爆弾を登場させ、もう永遠にあともどりできないほど、戦争の戦い方を変えたんだよ。

1 1,000年以上前、中国の錬金術師たちは、不老不死の薬をつくろうとしていた。そして、いろいろな物質を集め、可能性のある組み合わせを思いつく限り考えて、それらを混ぜ合わせる実験をしていたんだ。

2 そんなとき、ある錬金術師が、木炭と硫黄と硝酸カリウムを混ぜ合わせて熱する実験をした。すると運が悪いことに、その混合物が爆発して、その人の家は火事で焼け落ちてしまった。なんと、不老不死の薬の代わりに「黒色火薬」という火薬をつくり出してしまったんだ！

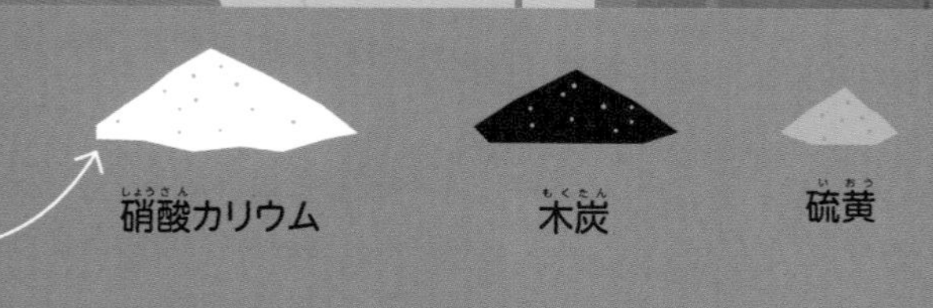

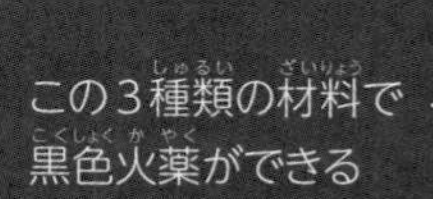
この3種類の材料で黒色火薬ができる

もっとくわしい科学の話
化学反応

1つ以上の物質が別の1つ以上の物質に変わることを「化学変化」または「化学反応」という。ただし、化学反応はそのプロセスを指すことが多い。化学反応では、もとの物質を構成する分子をつくっていた原子の組み合わせが変わり、新たな分子ができる。鉄がさびるときのようにゆっくり進む反応も、燃焼（ものが燃えること）のように速く進む反応もある。花火は、火薬の燃焼による「爆発」で光と音を出す。「爆発」は、一瞬で大量のエネルギーを放出し、気体がすごい速さで広がる現象なんだ。

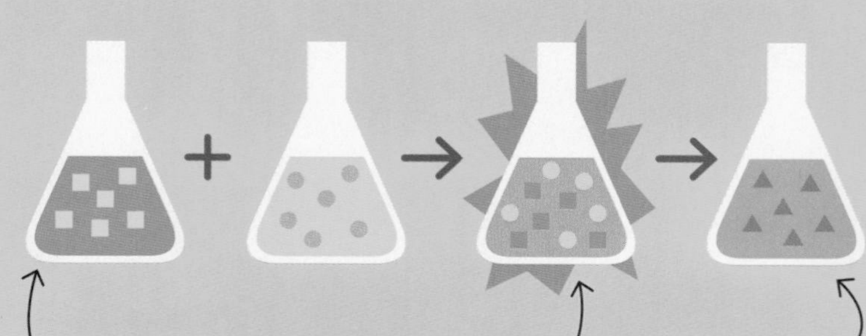

3 本当は、だれが最初に花火をつくったのかは謎なんだ。ある中国のお坊さんが火薬を竹につめて、火に放りこんだところ、大きな音がして、たくさんの光がシャワーのように周りに飛び散ったのが花火の始まりという説もあるんだって！

4 まもなく、お祝いの行事に花火を上げる風習が広まった。人々は花火を矢に乗せて、空に向かって発射するロケット花火をつくったんだ。時代とともに、打ち上げ花火は、より大きく、より明るく、より色あざやかになり、また、さらに迫力のある大きな音になったんだよ。

化学エネルギー

すべての分子は、原子どうしの結合によって、物質内にエネルギーをかくしもっている。化学反応の間、このエネルギーの一部が、熱や光や音として外に逃げることがあるんだ。たとえば、ろうそくが燃えるときのように、エネルギーを放出する化学反応は「発熱反応」というんだよ。それに対して、エネルギーを吸収する化学反応は「吸熱反応」というんだ。

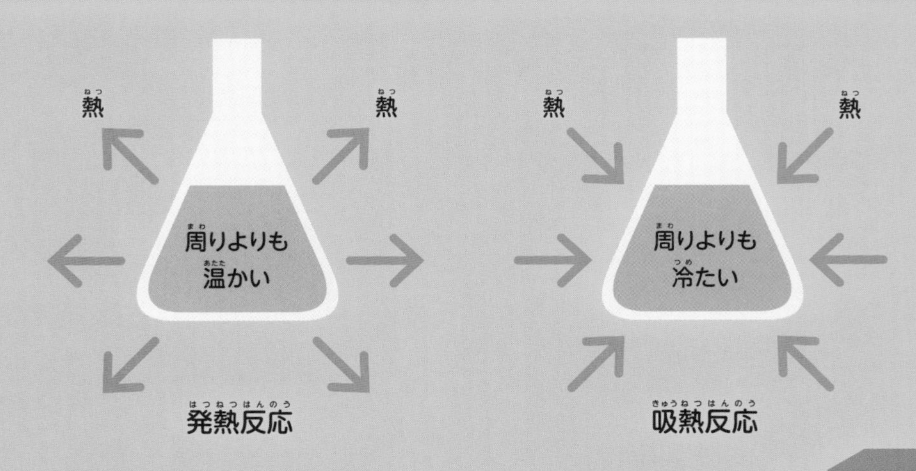

ロケット花火のしくみ

日本の打ち上げ花火の多くは丸い形だけど、欧米に多いロケット花火は円筒形だ。おもちゃ花火のロケット花火は長さが30センチメートルほどで、その大型版では80センチメートルを超えるものもあるよ。ロケット花火の中には2種類の火薬が入っている。花火を高く打ち上げるための火薬と、色あざやかな光を出すための火薬だ。最新式の花火には、小さな花火の玉がいくつも入っていて、打ち上げられるとそれらがいろいろな方向に飛び、計算された時間差で、次々と花火が開くようになっているものもあるんだよ。

導火線が上まで
燃えるのには、
3～9秒かかる

ロケット花火はジェット
戦闘機と同じくらいの
スピードになるんだよ

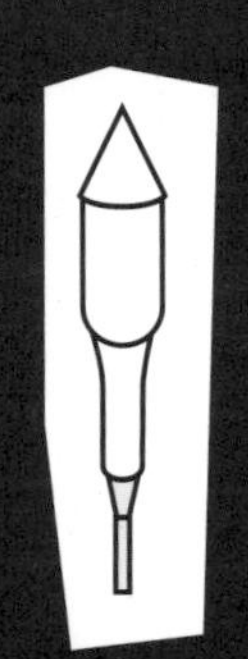

1 ロケット花火の最初の部分は、導火線だ。安全に花火に点火するため、そして、花火のほかの部分に火がつくタイミングをコントロールするため、導火線はゆっくりと燃えて少し時間がかかるようになっている。

2 導火線が燃えつきると、ロケットの下の方につめられた火薬に火がつく。すると、爆発的に燃えて、下から熱い気体を外にふき出すため、ロケット花火を上向きにものすごいスピードで進ませる。

「燃焼」ってどういうこと?

花火は「燃焼」とよばれる化学反応によって成り立っている。燃焼が起こるには、燃料(燃える物)、酸素(燃料と反応するもの)、熱(燃焼反応が始まるきっかけになるもの)の3つが必要なんだ。たいていの燃焼反応では、身の回りの空気にふくまれる酸素が使われる。でも、花火で使われる黒色火薬のような爆発物は、化学反応で酸素を放出する物質が入っているので、燃焼反応が普通よりもずっと速くなるんだよ。

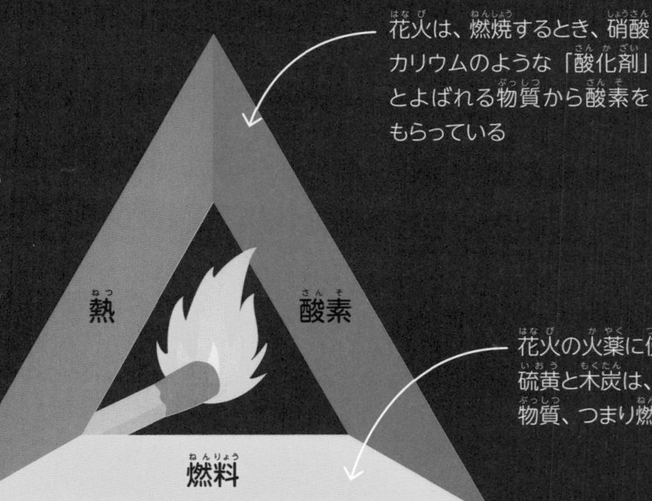

花火は、燃焼するとき、硝酸カリウムのような「酸化剤」とよばれる物質から酸素をもらっている

花火の火薬に使われる硫黄と木炭は、燃える物質、つまり燃料だ

燃焼反応が始まるには、物質を一定以上の温度にする熱が必要なんだよ

どんな種類の「星」をどのようにならべてつめたかが、そのまま、夜空にできる花火の色と形として現れるんだよ

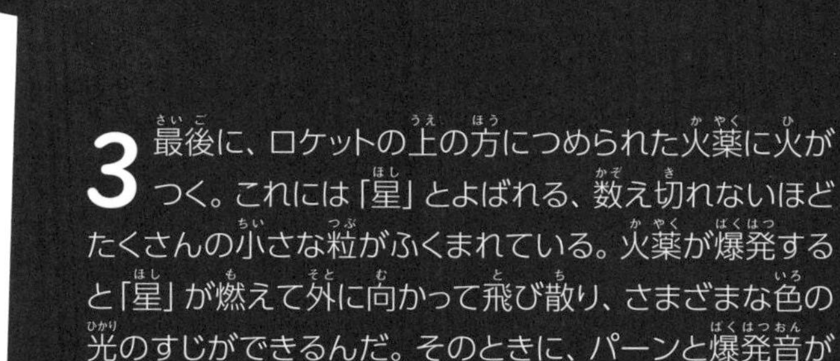

3 最後に、ロケットの上の方につめられた火薬に火がつく。これには「星」とよばれる、数え切れないほどたくさんの小さな粒がふくまれている。火薬が爆発すると「星」が燃えて外に向かって飛び散り、さまざまな色の光のすじができるんだ。そのときに、パーンと爆発音がしたり、パラパラといったこまかい音がしたりするんだよ。

ホントの話

ダイナマイト

爆薬は、岩を爆破して山に通り道をつくったり、ビルをこわしたり、鉱山をほったり、雪山の安全対策のために計画的に"なだれ"を起こしたりするのに使われている。最もよく知られているダイナマイトという爆薬は、スウェーデンの化学者、アルフレッド・ノーベルが、黒色火薬に代わる、より安全な爆薬として発明したものなんだ。ノーベルは、世界中で使われているダイナマイトで手に入れた、ものすごい財産をもとに、ノーベル賞を設立したんだよ。

なんてカラフル！

花火のあざやかな色は、「星」とよばれる火薬玉に混ぜられた、さまざまな金属化合物がもとになっているんだ。金属原子を熱すると、原子の中の電子が「励起」される。つまり、電子が熱する前よりも外側の電子殻に移り、高いエネルギー状態になるんだ。そうした不安定な状態の電子は、そのエネルギーを光として放出して、もとの電子殻にもどる。そのとき出る光の色は、金属の種類によってちがうんだ。たとえば、マグネシウムを熱すると、白い光が出るんだよ。

マグネシウム

銅

ストロンチウム

バリウム

ナトリウム

カルシウム

プラスチックって いったいどういうもの?

プラスチックは、食品の容器やポリ袋だけでなく、気づかないところでさまざまなものに使われている、おどろくほど便利な素材だ。プラスチックは、石油などを原料として人工的につくられた合成樹脂だ。巨大な分子(高分子)でできている「高分子化合物」の一種で、熱や力を加えていろいろな形に成形できるんだよ。プラスチックは、分子の構造が“うるし”や絹糸やゴムのような天然の高分子物質と似ているけれど、大きなちがいは「人間が発明したもの」ってことだ。世界で初めて動植物を原料としない合成高分子化合物としてのプラスチックをつくったのは、ベルギー生まれの科学者だった。

1 20世紀初めになると、人々はそれまで以上に電気にたよる生活をするようになっていた。電線は、安全に、そして効果的に電気を流すため、電気を通す金属線を、電気を通さない材料(絶縁体)でおおう必要があったんだ。そこで、電線をつくる会社は、絶縁体として「シェラック(またはセラック)」とよばれる、値段の高い天然物質を使っていた。

シェラックは、ラックカイガラムシのメスがつくり出す天然物質だ

シェラックのプラスチックのようなかたまりをエタノール(アルコールの一種)でとかすと、シェラック溶液ができる

電線用の金属線をシェラック溶液にひたすと、金属線の表面がシェラックの薄い膜でおおわれ、絶縁電線になる

2 アメリカでは、化学者のレオ・ベークランドが、シェラックのような性質をもち、動植物を原料としない、大量生産できる合成(人工的につくる)化合物をつくり出そうと実験を始めた。

この発明に使った圧力鍋のような装置を、ベークランドは「ベークライザー」とよんでいた

3 ホルムアルデヒドとフェノールという2種類の物質を、“ベークライザー”の中で温度と圧力を注意深く調節しながら混ぜ合わせることによって、ベークランドは物質から合成高分子化合物としてのプラスチックを世界で初めてつくり出すことに成功した。

＊植物のセルロースを材料にしたプラスチック「セルロイド」は、先に発明されている

4 ベークランドは、とても丈夫で軽い、この材料を「ベークライト」と名づけた。これは、金属線の表面をおおって、絶縁電線をつくるのにぴったりだっただけでなく、さまざまな使い道があり、いろいろな形に加工することでたくさんの製品になったんだ。

もっとくわしい科学の話

重合体（ポリマー）

天然物質のシェラックも合成物質のベークライトも、重合体（ポリマー）とよばれる構造の高分子化合物だ。重合体の分子は、小さな分子がくり返し結合し、長い鎖のように連なる巨大な分子で、ふくまれる原子の数がものすごく多いんだ。重合体の構成単位になる、反応前のもとの小さな分子を、単量体（モノマー）というんだよ。たとえば、エチレン分子が単量体の場合を見てみよう。

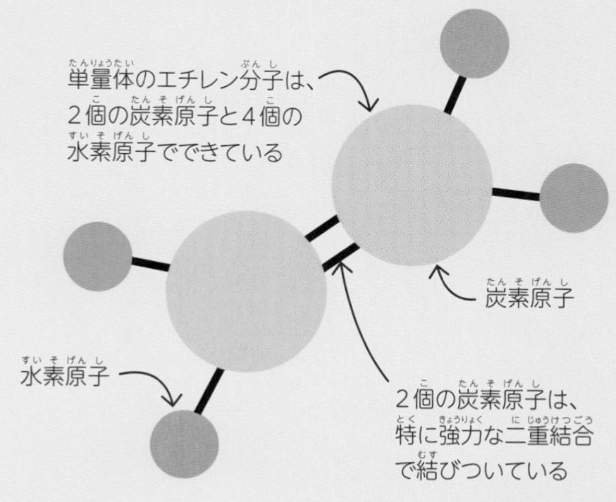

反応が始まると、エチレン分子の炭素と炭素の間の二重結合が開いて、エチレン分子どうしが結合できるようになり、それがくり返されて長い鎖のような高分子ができる。これが、重合体（ポリマー）だ。

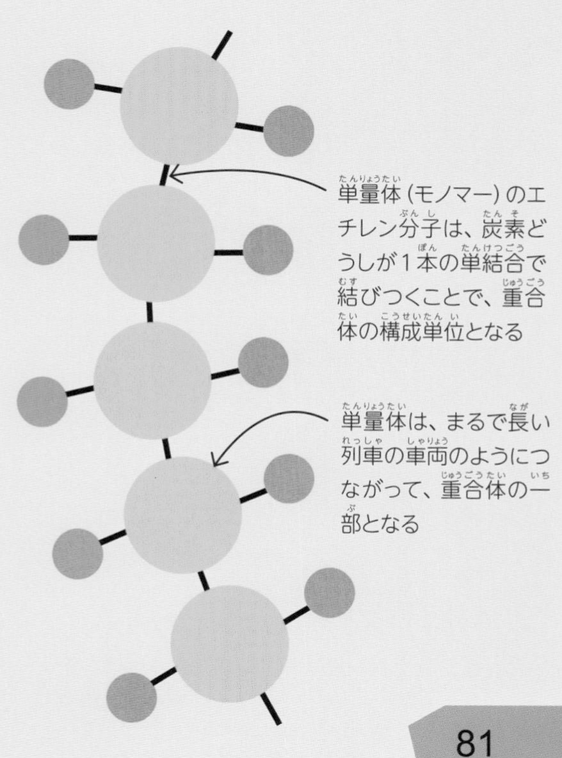

天然高分子化合物

プラスチックだけが、高分子化合物というわけじゃない。実際、人工物だけでなく、自然界にある、たくさんのものが、高分子でできているんだよ。天然繊維の絹糸は、ガの幼虫のカイコがつくる“まゆ”の糸だ。つまり、動物がつくり出す天然の高分子でできている。天然ゴムは、ゴムの木の樹液からつくられるし、セルロースは、植物の細胞壁にあり、紙の原料になる。また、デンプンは、ジャガイモや米などの主食にふくまれる炭水化物だ。これらは植物がつくり出す天然高分子化合物なんだ。

合成高分子化合物

合成樹脂・合成繊維・合成ゴムなどの合成高分子化合物は、人間によって物質からつくられる重合体（ポリマー）だ。ちがう物質を使えば、ちがう種類の合成高分子ができあがり、ちがう使い方ができる。合成高分子化合物は、ものすごく幅広い使い道があり、さまざまな場面でわたしたちの生活に役立っている。たとえば、プラスチックには、家庭にある電源コードの絶縁に使われるほど曲げやすいものもあれば、建設現場の工事用フェンスに使われるほど、かたく丈夫なものもある。また、値段が安く清潔なので、病院の医療器具にも使われ、人々の命を毎日救っているよ。

ポリスチレン（PS）

この軽いプラスチックの仲間は、発泡スチロールの箱や小さなクッション材、カップ、天井のタイルの原料や、絶縁体として使われている。

ポリエチレン（PE）

ポリ袋、食用油のボトル、食用品のラップ、バケツなどの原料として、また、電源コードの金属線をおおう絶縁材料として利用されている。

ポリ塩化ビニル（PVC）

電線をおおう絶縁材料として利用されるほか、雨どいやパイプ、フローリングの原料やレインコートなどの衣類にも使われている。

ナイロン

合成繊維の仲間で、衣服やカーペット、ロープ、機械の部品などをつくるのに使われている。

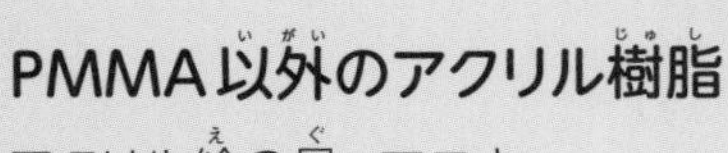

PMMA以外のアクリル樹脂

アクリル絵の具、マニキュア液の材料の一部として使われたり、アクリルという合成繊維の原料になって衣服などに使われたりする。

ねえ、知ってる?

生分解性プラスチック

プラスチックの多くは、分解するのに数百年から数千年かかるといわれ、小さなゴミとして環境を汚染し、人間や動物の健康を害する恐れがあることがわかってきた。だから、科学者たちは、使われているプラスチックの一部を、分解の速い、新しい素材に代える方法を探しているんだ。たとえば、キノコを利用した素材でつくった容器を使ったり、プラスチック袋を魚のウロコや海藻を原料にした袋に変えたりするなどの取り組みが始まっているんだよ。

ホントの話

環境汚染問題を解決に導く発見

2016年、日本の科学者たちが、プラスチックによる環境汚染問題への取り組みに大きな助けとなる、ある細菌を発見したんだ。この"大食い"の細菌は、プラスチックの分子の結合を壊す「酵素」(化学反応を引き起こす物質)をもっていて、たった6週間でプラスチックを分解してしまうんだよ。

ポリウレタン(PUR)

パッケージのクッション材やそうじ用として使うウレタンスポンジ、ペンキ、ニスなどの原料や、スポーツウエアの素材として使われている。

ポリメタクリル酸メチル樹脂(PMMA)

アクリル樹脂の中でも、特に、ガラスの代わりに使われ「アクリルガラス」として、飛行機の窓やカメラのレンズ、アクリル板などに利用される。

ポリテトラフルオロエチレン(PTFE)

防水仕様の衣類の素材、機械のベアリングの材料、フライパンなどの表面に料理がくっつきにくくなるコーティング材として使われる(テフロン™など)。

*テフロン™はPTFEを始めとする、ケマーズ社製フッ素樹脂の商標だよ

アラミド繊維

「ケブラー」という商品名の合成繊維、アラミドは、とても丈夫な素材なので、防弾チョッキの材料にもなっているよ。

ポリエチレンテレフタラート(PET)

ペットボトル、写真のフィルム、ガラス繊維(グラスファイバー)の原料として利用され、衣服などに使われる合成繊維の原料にもなっている。

すばらしい化学者たち

鉱業から金属加工まで、人間は身の回りの材料の使い道を見つけるため、つねに実験をしてきた。化学のルーツは、錬金術にある。錬金術は、ふつうの金属を価値の高い「金」に変えようとするもので、科学と魔術が組み合わさったものだった。そこから、科学的な方法に目を向ける時代を経て、現代の化学は18世紀に始まった。そして、たくさんの優秀な科学者たちのおかげで飛躍的に発展してきたんだ。

紀元前450年ころ

四元素説

古代ギリシア人は「宇宙のあらゆるものは、たった4つの“元素”からできている」と信じていた。この考えは、2,000年以上もの間、科学に影響を与えていたんだ。その4つの“元素”は、水・空気・火・土、だったんだよ。

紀元前3500年ころ

青銅器時代

メソポタミア（現在のイラクの一部）のシュメール人は、金属元素がどのようにふるまうか、ある程度知っていた。だから、銅とスズを一緒に加熱することで、青銅（ブロンズ）をつくったんだ。青銅は、比較的かたいけれども低い温度でとける金属で、武器や道具の材料になる。また、シュメール人は、ケイ砂、ソーダ一灰、石灰石を高温で混ぜ合わせて化学的にガラスをつくる方法を発見したんだよ。

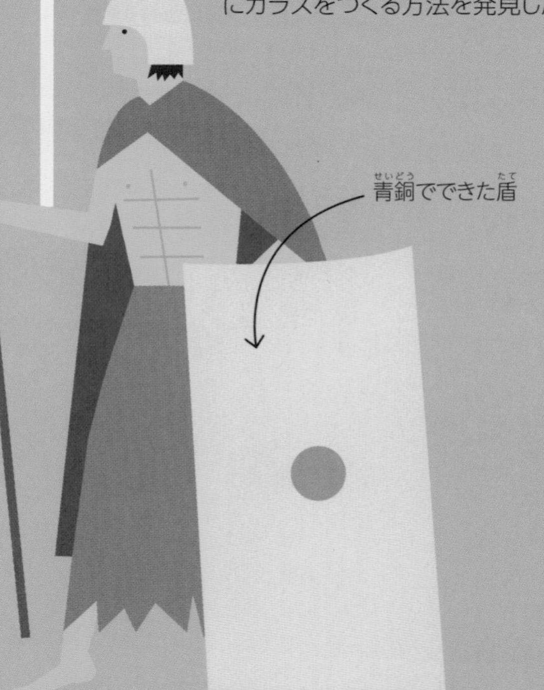

紀元前1世紀ころ

預言者マリア

エジプトの都市アレクサンドリアは、古代の世界で錬金術の中心地だった。ごく初期の錬金術師の一人、預言者マリアは、蒸留（何かが混ざった液体を、それぞれの成分に分離し濃縮すること）の装置を発明したといわれているんだ。このタイプの装置（アランビック）は現在でも使われているよ。

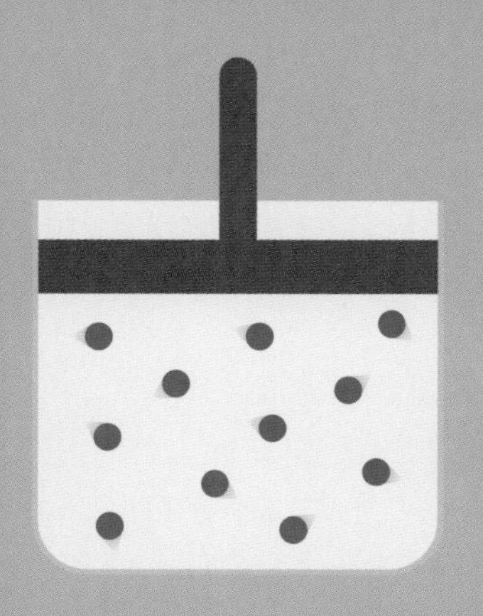

ねえ、知ってる?

増える質量の謎

四元素説をもとに、1700年代の科学者たちは、ものが燃えるとき、物質が"フロギストン(燃素)"という燃焼をつかさどる元素を放出すると信じていた。それなのに、ものが燃え終わったとき、燃える前より物質が重くなることがあるのはなぜか、説明がつかずとまどっていた。その理由を証明したのが、アントワーヌ・ラヴォアジエだった。「燃焼」とは燃える物質と酸素との化学反応であり、結びついた酸素の分だけ物質の質量が増えることを明らかにしたんだ。彼の理論は、ついに四元素の理論がまちがっていることを証明したんだよ。

ボイルの法則

現代化学の最初の化学者は、アイルランド出身のロバート・ボイルだといわれることが多いんだ。ボイルは、気体のふるまいに関する重要な法則を考え出した。気体がしめる空間が小さくなると、気体の圧力が増え、その逆もあり得る。ボイルの法則は、たとえば、医療用注射器のしくみや、わたしたちが呼吸するとどんなことが起こるか、といったことまで説明するんだよ。

1530年ころ

1662年　1770年代

パラケルスス

スイスの錬金術師、パラケルススは、病気の治療として鉱物やそのほかの物質を使う方法を初めて取り入れた。そして、水銀・硫黄・ヒ素・鉛などを薬として使う治療法を考え出したんだ。とはいえ、少量で人々の病気を治すことができる一部の物質が、大量に使うと体に害をおよぼす可能性があるということにも気付いていた。パラケルススは、古い考えが書かれた古代の書物にたよるのをやめ、自分自身が観察したことをもとに研究した。このようなやり方はその後の科学者たちに影響をおよぼしたんだよ。

化学の革命

フランスの科学者、アントワーヌ・ラヴォアジエは化学に革命をもたらした。燃焼（ものが燃えるプロセス）のしくみを正確に説明し、酸素と水素の元素の存在を認めて名前を付けたんだ。また、物質に名前を付ける方法を考え出した最初の人だった。これは現在も使用されているんだよ。さらに最初の現代化学の教科書になった本も書いたんだ。

ラヴォアジエは「水は2つの水素と1つの酸素でできている」と本に書いた

加硫ゴム

1800年代、ゴムの木の樹液（ラテックス）からつくられる生ゴムは、寒い時期にひびが入り、暑い時期には熱でとけるため、製品にするには使い道が限られていたんだ。アメリカの化学者、チャールズ・グッドイヤーは、硫黄と混ぜた生ゴムをうっかり熱いストーブに落としてしまった。でも、それがきっかけで、ゴムの弾性（弾む性質）が飛躍的に上がり、さらに耐久性（さまざまな影響にたえて長持ちする性質）、耐候性（屋外の自然環境にたえる性質）、絶縁性を高める加硫という方法を発見した。その数十年後に自動車産業が始まったとき、加硫ゴムはタイヤの製造にぴったりの材料になったんだよ。

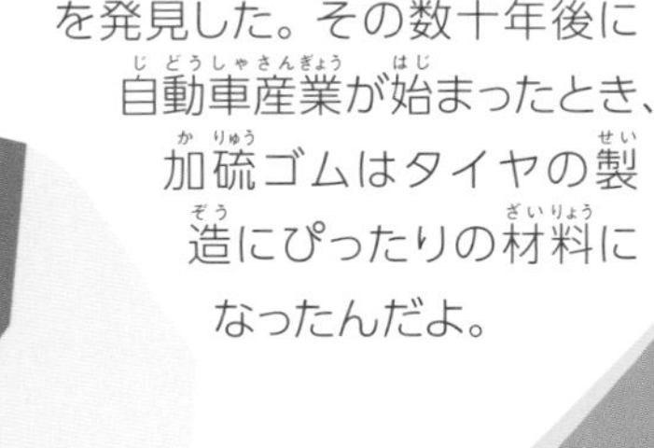

ブンゼンバーナー

ドイツの化学者、ロベルト・ブンゼンは、いろいろな元素が燃焼するときに出る、さまざまな光を研究していた。そのうち、より高い温度のとてもきれいな炎ができる、効率のよい実験用ガスバーナーのアイデアを思いつき、技術者のペーター・デザーガとともに、それまでのバーナーに改良を加えて完成させた。この「ブンゼンバーナー」は、現在、世界中のすべての化学研究室で（学校の理科室でも！）なくてはならないものになっているんだよ。

1812年

1839年

1855年

1898年

モース硬度

ドイツの地質学者、フリードリッヒ・モースは、鉱物の硬度（かたさ）を測定する尺度を考え出した。10種類の鉱物を選び、1つの鉱物で別の鉱物をひっかいて、傷がつくほうがやわらかいと判断してかたさの順を決めた。そして、最もやわらかいものから最もかたいものまで順番にならべて1〜10までの番号をつけたんだ。すべての鉱物は、この基準となる10種類の鉱物と簡単なひっかきテストをすることによって、かたさを数値で表すことができる。モース硬度は、メーカーが製品に使う素材を選ぶのに役立っている。たとえば、スマートフォンの画面は、モース硬度7とほぼ同じくらいのかたさの硬質ガラスを使っているんだよ。

ラジウムの発見

ポーランド出身のフランスの化学者で物理学者の、マリー・キュリーとフランス人の夫ピエールは、放射能（原子核が放射線を放出して状態変化を起こす性質）を研究しているときに、青白く光る、新しい放射性元素「ラジウム」を発見した。その後すぐに、2人は、ラジウムによってがん細胞を破壊できる可能性があることを発見したんだ。2人の研究は、ラジウムを使ったがん治療の開発につながった。現在では、そこから発展してきた、さまざまな「放射線療法」によって、毎年何百万人もの命が救われているんだよ。

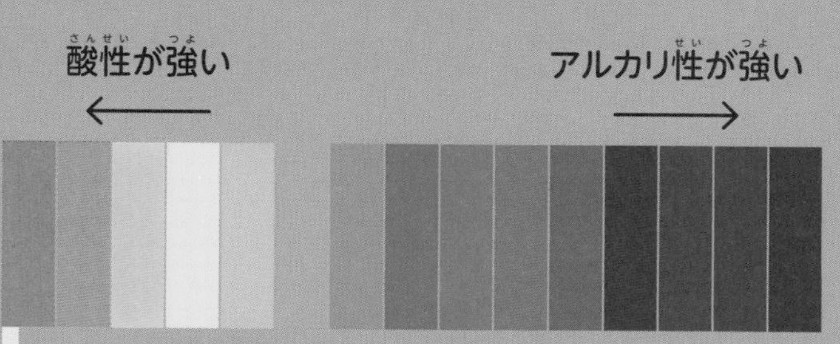

pH（水素イオン指数）

デンマークの化学者、セーレン・セーレンセンは、ビール会社のカールスバーグ研究所で発酵のプロセスを研究しているときに、物質の水溶液の酸性・アルカリ性の程度を調べる方法を考え出した。これは「pH（水素イオン指数）」とよばれている。酸性の物質は水に溶かすと、水素イオンが発生する。イオンとは、電子がふつうより多いまたは少ない状態になり、電気を帯びた原子のことなんだ。水素イオンが多いほど、pHで表す水素イオン指数（水素イオン濃度指数ともいう）は小さくなる。反対に、アルカリ性の物質の水溶液は水素イオンが少ないため、pHは大きくなるんだよ。

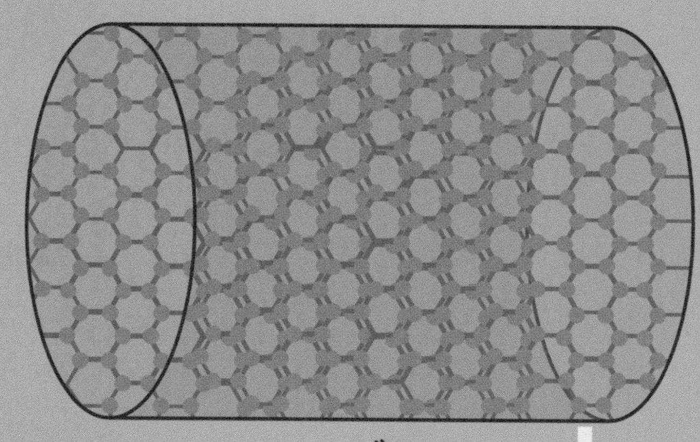

グラフェン

グラフェンは、炭素どうしが六角形に結合した、とても丈夫な構造で、原子１個分の厚さしかない、ごくうすいシート状の物質だ。これは、スマートフォンのような製品の中にある、とっても小さいけれど強力なマイクロプロセッサをつくるのに、すでに使われているんだよ。そして、今後は太陽光パネルの発電量を効率よく増やすのに使われ、うす暗くても発電できるようになるかもしれないんだ。

1909年　1920年代　1965年　現在

冷凍食品

1920年代までの冷凍食品は、調理すると形がくずれ、しかもおいしくなかった。発明家で実業家のクラレンス・バーズアイは、カナダのラブラドール地方で働いているとき、昔からそこで暮らすイヌイットの人々が、つかまえた魚をすぐに雪の中にうめて凍らせていることに注目した。数カ月たったあとでも、そうやって冷凍した魚はおいしかった。バーズアイは、ふるさとのアメリカにもどり、ものすごく低い温度にした２枚の金属板に食品をはさむという、急速冷凍方法を開発した。この方法によって、食品に氷の結晶ができなくなり、食品の品質が落ちるのを防げるようになったんだよ。

ケブラー

アメリカの化学者、ステファニー・クウォレックは、ポリマーの実験をしていたとき、ラッキーな予感がした。だから、にごってねばり気がなく流れやすくなった、予想はずれの溶液をすてないでもっと調べることにしたんだ。クウォレックは、それがスチール（鋼）の５倍の強さもある、信じられないほど丈夫な繊維になる可能性があることを発見した。「ケブラー」という商品名が付けられた、このアラミド繊維は、今では競技用のボートからランニングシューズまで、丈夫で軽い、さまざまな製品の製造に使われているよ。

ケブラーはたくさんの日用品に使われている。こんなトレーニングシューズにもね

何のためにあるの?
地球科学

これから台風が近づいてくるのか、あるいは、地震が起ころうとしているのか、まったくわからないとしたら……って想像してごらん。わたしたちの生活は今よりはるかに危険なものになるだろう！　地球とその周りの大気に変化を引き起こす原因と、さまざまな情報を総合して、地球という惑星が時間とともにどのように進化してきたのかを知ることが、地球科学者たちの関心を集める課題だ。「地球温暖化」をはじめ、地球にすむわたしたちの未来をおびやかす、さまざまな問題への解決策を見つけるのに役立つ可能性があるんだ。

なぜ、地球科学が必要なの？

きみが地球にすんでいるなら――たぶん、そうだよね！――地球科学は、きみがこの地球で生きのびるために、ものすごく重要なんだ。この分野の科学者たちは、地球の歴史から、陸地や海、それらの周りの大気（地球を取りまく空気の層）、地球内部などの状態、そして、それらが時間とともにどのように変化してきたのか、ということまで、地球という惑星に強い関心をもっている。そして、地震や台風などが来る前に、みんなに危険を知らせることで、命を救う手助けもしているんだ。また、人間の活動がどれほど地球の表面温度を上げているかということを明らかにして、現代の重要な問題の一つ、地球温暖化について警告しているんだよ。

地球科学ってどういうもの？

地球科学は幅広いテーマをあつかう学問で、たくさんのさまざまな研究分野があるんだ。地質学者は岩石や鉱物について研究しているし、海洋学者は世界中の海に関することの専門家だ。また、気象学者は大気の中で起こる気象パターンを分析している。これらの専門家だけでなく、さらにもっとたくさんのさまざまな分野の専門家たちが、複雑で壊れやすい、この地球という惑星のことを、わたしたちが理解し、どうやって守ったらよいのかを見つけるのに、大きな役割をはたしているんだよ。

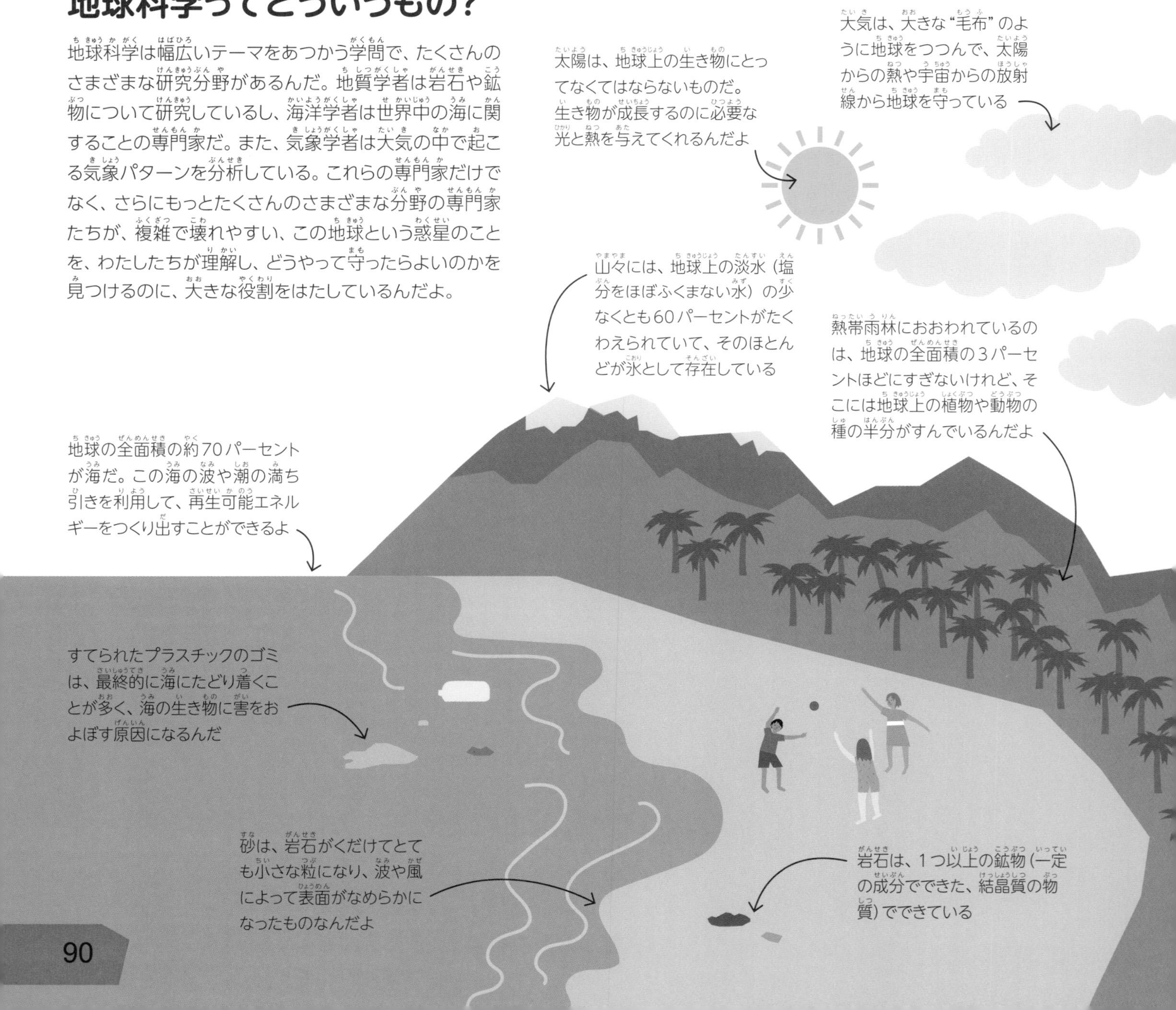

太陽は、地球上の生き物にとってなくてはならないものだ。生き物が成長するのに必要な光と熱を与えてくれるんだよ

大気は、大きな"毛布"のように地球をつつんで、太陽からの熱や宇宙からの放射線から地球を守っている

山々には、地球上の淡水（塩分をほぼふくまない水）の少なくとも60パーセントがたくわえられていて、そのほとんどが氷として存在している

熱帯雨林におおわれているのは、地球の全面積の3パーセントほどにすぎないけれど、そこには地球上の植物や動物の種の半分がすんでいるんだよ

地球の全面積の約70パーセントが海だ。この海の波や潮の満ち引きを利用して、再生可能エネルギーをつくり出すことができるよ

すてられたプラスチックのゴミは、最終的に海にたどり着くことが多く、海の生き物に害をおよぼす原因になるんだ

砂は、岩石がくだけてとても小さな粒になり、波や風によって表面がなめらかになったものなんだよ

岩石は、1つ以上の鉱物（一定の成分でできた、結晶質の物質）でできている

地球温暖化ってどういうこと?

大気を構成する気体の中には「温室効果ガス」とよばれるものがある。太陽の熱で温められた地面から放出される熱の一部をこの温室効果ガスがとらえるおかげで、地球の平均気温は温かく、約14℃にたもたれている。もし温室効果ガスがなければ平均気温はマイナス約19℃になってしまうんだ。ところが、過去150年にわたって、石炭や石油や天然ガスを燃やすなどの人間の活動によって、これらの温室効果ガスの割合が大きくなり過ぎて、地球の平均気温が高くなるという結果を招いてしまった。これが、世界中の洪水・雨・異常気象などを増やし、環境に対して、もとにもどせないほど悪い影響をおよぼしているんだ。

日常生活の中の地球科学

地球科学の重要な要素の一つは、人間の活動が環境におよぼす影響についての研究だ。汚染などによって、人間が地球にダメージを与えている場所を見つけたり、地球の資源を管理する、よりよい方法を考え出したりすることによって、人間は地球ともっとなかよく生きることができるんだよ。

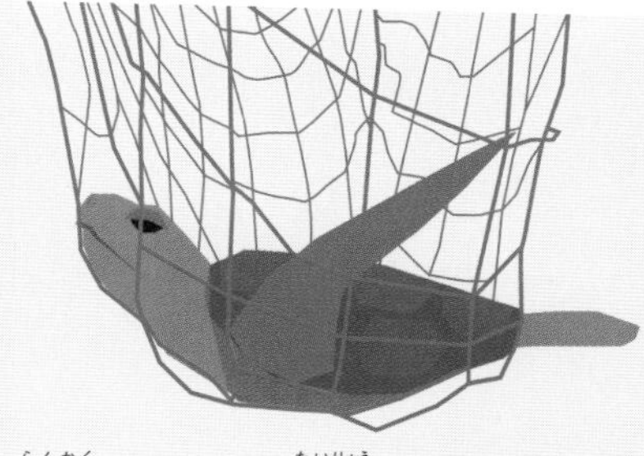

「乱獲」(むやみに大量につかまえること)と「海水汚染」(海水が汚れること)は、海にすむ動物の生活や一般的な海の状態に影響をおよぼす2つの重要な分野だ。

海の潮の満ち引きは、エネルギーを生み出すことができる。このような天然資源を利用することは、地球温暖化を食い止めるのに役立つ可能性があるんだよ。

地球には、金属から宝石、あるいは、石炭・石油・天然ガスのような、燃やして電力をつくり出す化石燃料まで、天然資源が豊富にあるんだ。

地球科学は、地震についての知識を深めるのに役立ってきた。そのおかげで、命が救われたり、地震の被害にあった地域に、より安全な建物が増えたりしたんだ。

どうやって明日の天気を予測するの？

天気は予測ができない場合がある。それでも、何世紀もの間、人々は、これからどんな天気になるのか予測しようとしてきた。外で遊ぶ計画がある・農作物を育てている・台風がやってくるかどうか知る必要があるなど、天気を知りたい理由はいろいろあるけれど、天気予報はわたしたちの毎日の生活に役立っている。風の向きや強さの変化を追うことから、降水量（降った雨や雪などの水の量）の記録や、気温や気圧の測定まで、たくさんの作業を積み重ねることで、天気を予測することができるんだよ。

1 何世紀もの間、朝鮮半島では、農業にたずさわる人たちが、気象パターンを予測しようとして、降った雨の量（雨量）を測っていた。いつ雨が降るのかがわかれば、一年を通して、できる限りたくさんの農作物をすくすくと育てることができるようになるからだ。

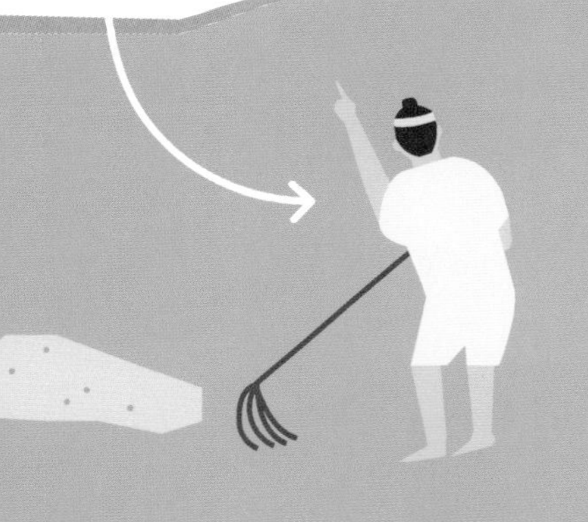

2 人々は、土砂降りの雨の間に落ちた雨量を知るため、水たまりの深さを測った。この方法は便利ではあったけれど、見積もりの量でしかなく、あまり正確ではなかった。

ねえ、知ってる?

雨量計

現代の雨量計も、ちょうど「測雨器」と同じような方法で計測するんだ。雨量計には“ミリメートル”か“インチ”の目盛りがついた、丸い筒型の容器があるだけだ。もし、水がこの筒に25ミリメートル(1インチ)たまったら、それが雨量あるいは降水量として記録されるんだよ。

3 1441年、当時の朝鮮王朝の王様の命令にこたえて、その国の発明家たちが、もっと正確に雨量を測る装置をつくった。その「測雨器」とよばれる装置は、水がはねて飛び散るのを防ぐパイプ型の鉄製の容器がついた雨量計だった。

4 容器にたまった水にものさしを差し込むことで、人々は雨量の正確な計測ができるようになった。次の年から「測雨器」は国の各地に設置され、それによって、科学者たちは雨量のくわしい記録がとれるようになった。「測雨器」の記録は、その王朝で農業にたずさわる全国の人たちの農作業に役立ったんだ。

ホントの話

備えあれば憂いなし

現代の農業でも、正確な天気予報が必要であることに変わりはない。もうすぐ天気が悪くなるなら、農業をする人たちはそれをできるだけ早く知る必要がある。そうすれば、前もって計画して自分たちの農作物を守ることができるからね。

乾いている？それとも、湿っている？

湿度とは、空気の中にふくまれる水蒸気の量の割合のことだ。古代の中国では、木炭のかけらの重さを測ることによって、湿度を調べていた。湿気の多い天気のときは、木炭は水蒸気を吸収し、重くなる。逆に、乾燥した天気のときは、木炭にふくまれる水分が蒸発するので、軽くなるんだ。気象用語でいうと、乾燥した日は“湿度が低い”のに対し、湿気のある日は“湿度が高い”っていうことになるんだよ。

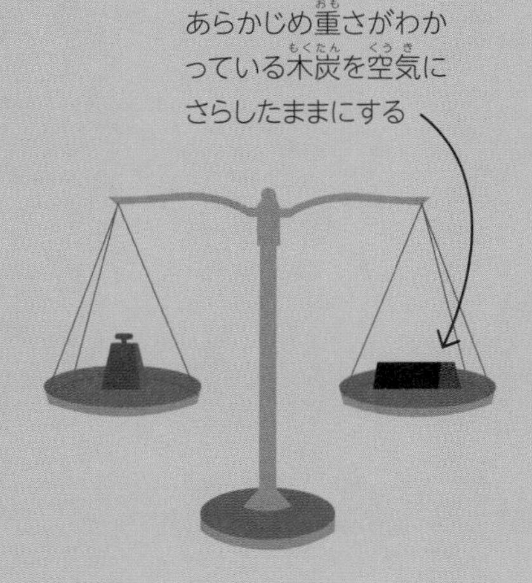

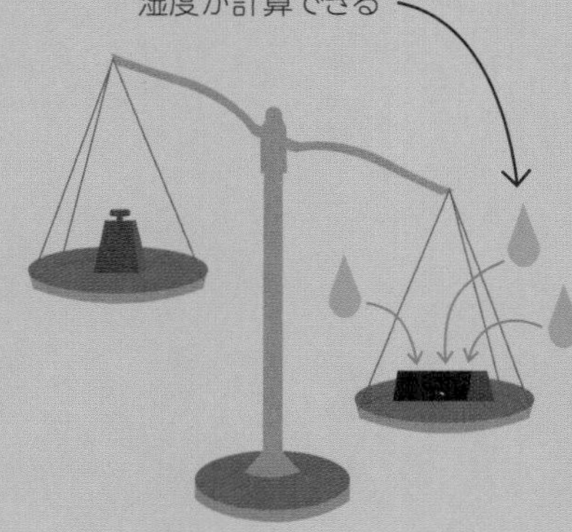

よい天気？それとも、悪い天気？

地球は、大気とよばれる厚い空気の層に囲まれている。空気も重さをもっているので、地面に近いところ（地表）の空気は、その上の空気の重さによって押し縮められている。この圧力のことを「気圧」（または「大気圧」）というんだよ。「高気圧」は、晴れたよい天気のサインだ。反対に「低気圧」になると、風が吹いたり、雨が降ったり、嵐が起こったりする。1643年、イタリアの科学者、エヴァンジェリスタ・トリチェリは、水銀気圧計を発明した。これは、気圧を正確に測れる初めての装置だったんだよ。

底のあるガラス管に水銀を満たして水銀の入った容器に逆さまに立てると、ガラス管の一番上は真空（空気がほとんどない状態）になる

気圧が高いときは、大気が容器の水銀を押す圧力が強いので、ガラス管の中の水銀が上がる。ガラス管の目盛りでどれだけ上がったか読み取れるんだ

気圧（大気圧）

容器には、水銀（室温で液体状態の金属の一種）を入れておく

やってみよう

雨量計をつくろう

飲み終わったペットボトルを使って、きみにも自分だけの「測雨器」がつくれるよ。最初に、ボトルの上を切り取ろう。次に、ボトルの外側の底から少し上の位置に、ものさしをはりつけるんだ（ものさしをあてて目盛り通りにボトルにペンで印をつけてもいいよ）。その次に、目盛りの0のところまで水を入れる。ここまでできたら、最初に切ったボトルの上の部分をひっくり返して、下のボトルの上にのせ“じょうご”の代わりにしたら完成だ。この雨量計を外に置いて、雨が降った後にどれくらいの雨量があったか記録してみよう。

切ったボトルの上の部分をひっくり返して、雨を集める“じょうご”にしよう

ハサミを使うときは、危ないので、大人の人といっしょにやろう

計測を始める前に、目盛りの0のところまで水を入れておこう

暑い？　それとも、寒い？

温度とは、「熱い・冷たい」または「暑い・寒い」の程度を表すものだ。温度計は、空気が熱で膨張することを利用して、1590年後半に、イタリアのガリレオ・ガリレイが発明した。しかし、目盛りはついていなかった。その後、1724年にドイツの科学者、ダニエル・ファーレンハイトが水銀温度計を発明し、目盛り（華氏温度）を提案した。水銀は温まると膨張し、ガラス管を上がっていくんだ。この温度の尺度は、彼の名前にちなんで「ファーレンハイト度」と名付けられた。華氏度（°F）ともいうよ。

＊日本では摂氏度（℃）を使っているよ(p.105を見てね)

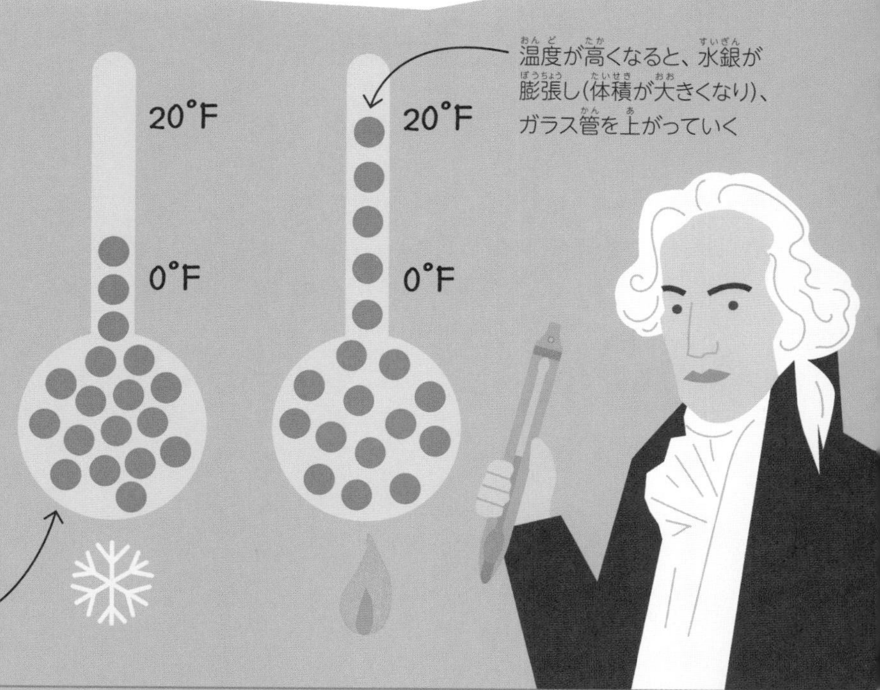

天気予報

いろいろな場所の気象観測所や地球の上空を回っている気象衛星は、湿度・気圧・気温・降水量をはじめ、地球の大気圏のさまざまな状況についてのデータを集めている。これらのデータは高性能のコンピュータに送られ、これまでの気象モデルをもとに、この先の天気がどうなるかが予測されるんだ。現代の天気予報は、1週間先の天気を約80パーセントの正確さで予測することができるんだよ。

どうやって自分のいる位置を知るの？

人類が誕生してからずっと、人々は、自分のすむ地域を移動するとき、特徴のある岩や木や建物など、目印になるものを利用して迷わないようにしていた。でも、いつもの場所から離れて、もっと遠くへ旅をしたい場合、目的地に安全に到着するため、自分が今どこにいるのかわかる必要があった。長い年月を経て、人類は、自分のいる場所の緯度（赤道からどれだけ南または北かを表すもの）と経度（ロンドンの旧グリニッジ天文台を通る規準の子午線〔経度0〕からどれだけ東または西かを表すもの）がわかる方法を考え出したんだ。

1 緯度を測るには、夜空を見るとよいということは、世界中の人々が気付いていた。夜空にある大部分の星は、毎晩、位置が移動しているように見えるけれども「北極星」はずっと同じ位置にあるように見える。とはいっても、夜空のどのくらいの高さに北極星が見えるかは、地球のどこにいるかによって違うんだよ。

北極星はこぐま座の一部だ

北極星と地平線がつくる角度が、自分のいる場所の緯度になるんだよ

光の来る方向を表す線

2 およそ900年ころ、アラブ人の探検家たちが、自分のいる位置を知る「カマル」とよばれる簡単な装置を考え出した。家を出発する前に、旅行者は１本のひもに結び目をつくり、小さな木の板の穴に通す。すると、結び目が引っかかって、ひもが穴をすり抜けなくなる。これで準備は終わり。使うときは、まず、歯を使ってひもをぴんと張った状態に保つんだ。

3 そして、木の板を自分の顔の前でもち、その板の下の端は地平線と重なるように、そして上の端は北極星に重なるように調節する。そして、その場所の緯度を記録するために、ひもに結び目をつくるんだ。

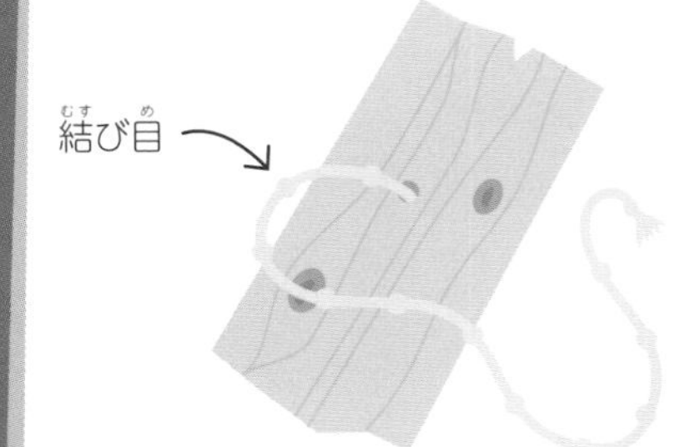

ねえ、知ってる？

北極星と緯度

北極星が緯度を測るのに便利なのは、北極点の真上にあるからだ。地球はこの北極点を通る地軸を中心にコマのように自転しているので、北極星が見える位置はほとんど変わらないんだよ。もしも、きみが赤道（緯度0度）の上にいたら、北極星は地平線と変わらない高さに見えるだろう。そして、きみが北に進むほど、北極星の高さはより高く見えるようになり、北極点（北緯90度）に着くと、北極星は真上に見えるようになるんだ。でも残念ながら、この方法は赤道よりも南に旅行する人は使えない。それは、南極点（南緯90度）の真上にある星がないからだよ。

＊緯度は赤道を0度として、それより北を「北緯」、南を「南緯」というよ

新たな位置で測定すると、北極星は前より高い位置になった。つまり、より北に移動したということだよ

4 旅行者が新たな目的地に到着したとき、「カマル」を使って、その場所での北極星の位置の読み取りをする。このとき、木の板を自分の顔から離したり近づけたりして、板の両端を地平線と北極星にぴったり合わせるんだ。こうして緯度が測定できたら、その新しい緯度を記録するために、新たな結び目をつくる。

5 旅行者は、重要なポイントに着くたび「カマル」に結び目をつくっていった。もし、道に迷ったら、前に記録したポイントの中で一番近い場所を探し出すのに、自分の「カマル」を使うことができる。そのポイントに行く方法を教えてくれるわけじゃないけれど、同じ緯度の場所はみつけられる。その場所は、探しているポイントの東か西だとわかるんだよ。

ホントの話

六分儀

やがて、航海のとき緯度を調べる、より進歩した方法が考え出された。円の1/6の形をした「六分儀」は、地平線と太陽や星などの天体がつくる角度（天体の高度）を測ることができるので、正確な緯度がわかる。さらに経度も計算できるんだ（初めは経度は正確でなかったけど、現在では正確に計算できるから、これ1つで船の位置が特定できるよ）。

経度はどうやって計算したの？

18世紀までに、世界中の海を船でわたって貿易をすることがものすごく多くなっていた。でも、船乗りたちは問題をかかえていた。東西の位置を知る「経度」が正確にわからなければ、大きな海では迷いやすい。だから、安全な航路をはずれて、船が沈没する事故も多かったんだ。ガリレオ・ガリレイやエドモンド・ハレーのような偉大な科学者たちは、この経度の問題を解決するのに、やはり星を観測して調べる方法を考えていた。でも1728年に、イギリスの時計職人のジョン・ハリソンが、よいアイデアを思いついたんだ。「時計を使えば、もっとずっと簡単に計算できるじゃないか！」ってね。

1 ハリソンは、地球が南北をつらぬく地軸を中心に回転する球体であることを知っていた。地球は1日に360度回転している。1日は24時間だから、1時間あたり15度回転していることになるんだ。いいかえれば、経度が15度違うと1時間の時差がある。地球上のいろいろな場所で時間が違うのは、そのためだったんだよ。

$$360° \div 24 = 15°$$

2 では、大きな海の真ん中を進んでいる船は、どうやったら、船の位置の経度を知ることができるんだろう？　その答えは、時間の計測にあったんだ。船乗りは、乗っている船がどこにいようと、正午（昼の12時）を言い当てることができる。それは、太陽が空に一番高く上がったときだからだ。もし、基準となる地点の時間（イギリスのロンドンの時間が使われる）もわかれば、その2つの時間をくらべることによって、大体の経度が計算できるんだ。

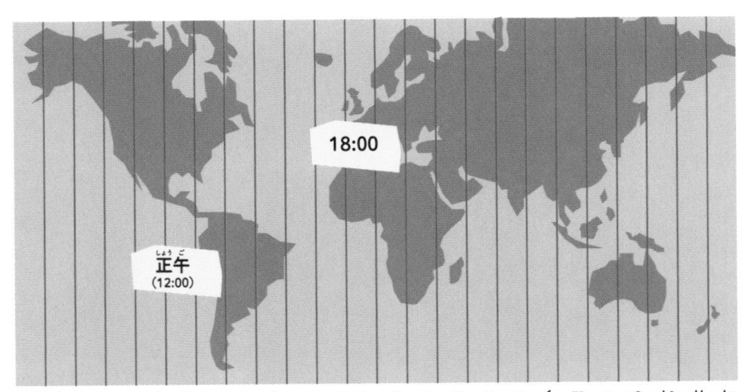

ホントの話

GPS（全地球測位システム）

現在では、自分のいる正確な位置を知るために、数十機の人工衛星のネットワークを利用している。これは全地球測位システムというもので、ふつうはGPSとよばれている。宇宙にある複数の人工衛星から送られた信号を、地上のGPS受信機を備えた機器（たとえばスマートフォンやカーナビゲーションなど）が受け取り、地球上のどこにいるのかを計算するんだ。GPSは数メートルほどの誤差で位置がわかるんだよ。

3 ハリソンが引き受けたのは、温度変化があっても、船が大きくゆれても、遅れたり進んだりしない、船乗り用の時計をつくることだった。そんな時計なら、船乗りの人たちが海で2つの時間をくらべるのに、自信をもって使えるからだ。

4 ようやく1759年になって、ハリソンは自分自身の最高傑作を発表した。それは、やや大きな懐中時計で、その中には、正確に時を測るための複雑なしくみがぎっしりつまっていた。マリン・クロノメーターとよばれる、ハリソンの正確な時計の初航海は、ジャマイカ行きの船だった。なんと、81日間の船旅で、たった5秒しか遅れなかったんだ。経度の計測の問題はこれでやっと解決したんだよ！

ハリソンは4個目につくった、このマリン・クロノメーター「H4」で「どうやったら経度が正確に測れるか」という問題をやっと解決したんだよ

どうやって原子爆弾の実験をやめさせたの?

ほとんどの原子は安定していてふつうは変化しない。でも、不安定な原子もあるんだ。不安定な原子核が壊れて変化し、危険な放射線を出す能力、つまり「放射能」をもっている原子の種類（放射性同位体）をもつ元素を放射性元素という。放射性元素は、がんの治療や発電などに利用されている。けれども、放射性元素は人の命を奪う汚染の原因になることもあるんだ。1950年代、原子爆弾の実験（核実験）がますます活発に行われていたとき、ある日本の科学者が、そのような実験で残された放射性元素によって、太平洋全体が汚染される可能性があることに気がついた。

3 そこで、日本の政府は、猿橋勝子という科学者に、爆弾から放出された「放射性降下物」(「死の灰」といわれる、放射性元素をふくんだ“ちり”)が太平洋のあちこちにどんなふうに降って落ちたか、調査するようたのんだ。猿橋さんは、海水の流れが放射性降下物を時計回りに運び、特定のエリアに集まったことを発見した。また、この問題についてだれも何も行動しなかったら、太平洋にすむたくさんの動物たちがゆくゆくは放射性降下物によって“被ばく(放射線を受けること)”し、すっかり死んでいなくなってしまうだろう、ということにも気がついた。

4 猿橋さんの研究は、国際的な問題に発展した。核実験によって起こった人々の健康被害や環境汚染に対して国際的な批判が大きくなったんだ。その後、アメリカをはじめとするたくさんの国々の間で、水中や大気圏内や宇宙空間での核実験をやめることで意見が一致し、国際条約が結ばれることになったんだよ。

もっとくわしい科学の話

核放射線

不安定な原子の場合、その原子核はいつでも壊れて変化する可能性がある。これを「放射性崩壊」というんだ。原子核は崩壊するときに、核放射線(原子核から出る放射線)として、ものすごく大きなエネルギーを放出する。この放射線は、高速で動く粒子(たとえばアルファ粒子など)か、光の速さで移動する波(電磁波)として放出されるんだよ。

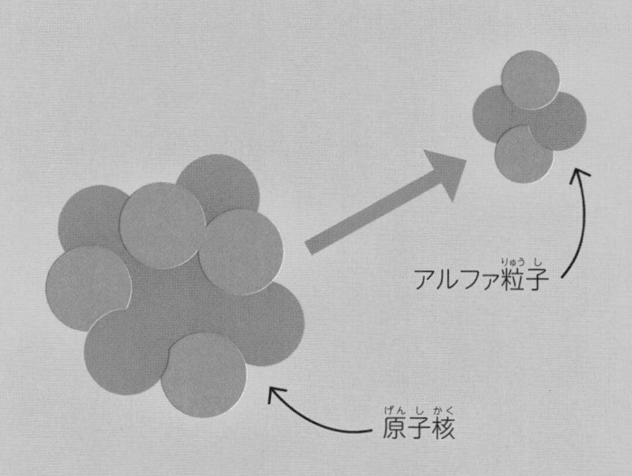

核放射線には、アルファ(α)線・ベータ(β)線・ガンマ(γ)線という3つの種類がある。アルファ線は、物体の中を通りぬける力(透過力)が最も弱い——人間の皮膚でもさえぎることができるんだ。ガンマ線はもっとずっと透過力が強く、人間の体でも通りぬけてしまうんだよ。

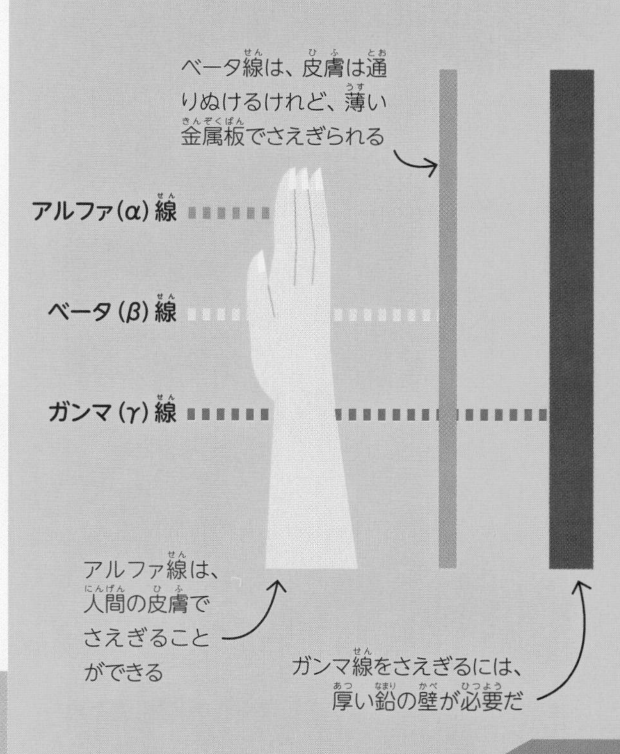

原子爆弾

原子爆弾は、とてつもない被害をもたらす、地球上で最大の破壊力をもつ兵器で、戦争で使われたのは、世界の歴史上たった2回だけだ（日本の広島と長崎に落とされたものだよ）。この爆弾は、原子核をわざと分裂させる（核分裂）反応か、軽い原子核を強制的にくっつけて、より重い原子核にする（核融合）反応のどちらかを利用している。どちらの反応でも、ものすごく大きいエネルギーが放出されるため、原子爆弾の爆発力は考えられないほど大きいんだ。核融合爆弾は、核分裂爆弾よりも、ずっとパワーがあり、破壊力があるけれど、核分裂爆弾は、核融合爆弾よりもはるかにたくさんの放射性降下物を放出するんだよ。

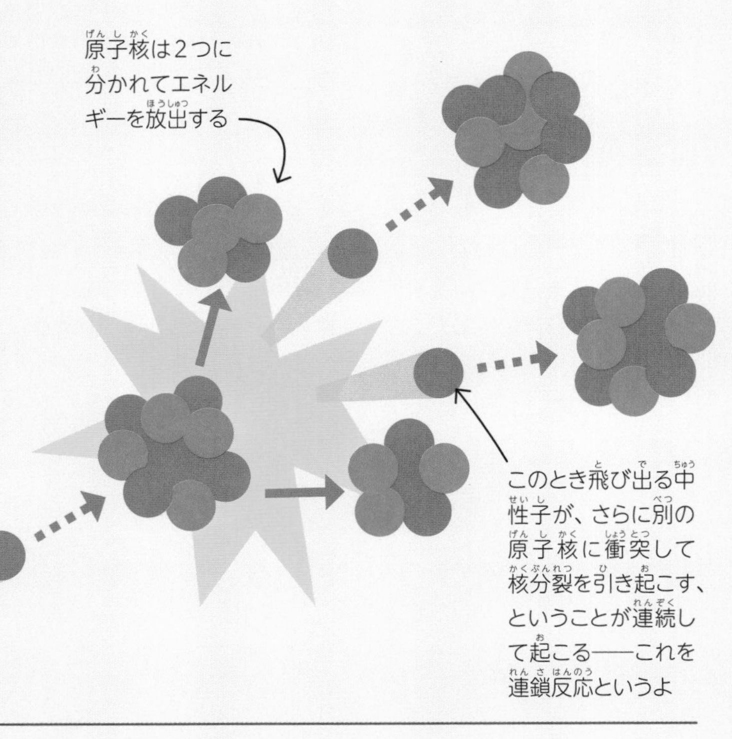

核分裂爆弾は、ウランの不安定な原子核に中性子を衝突させて、それらの原子核を分裂させる

原子力（核エネルギー）

原子力発電所は核分裂反応によって放出されるエネルギー（熱）を利用して、電気をつくり出している。原子爆弾とは違って、原子力発電所は、原子炉内に中性子を吸収する材料でつくった制御棒をたくさん配置することで、核分裂反応をコントロールし続けている。とはいえ、原子力（核エネルギー）には、長所と短所がある。発電中に二酸化炭素のような温室効果ガスをつくり出さないという点ではよいけれど、原子炉から取り出したゴミ（使用済みの燃料棒など）が、何千年も放射能をもち続けるため、地下深いところにずっとうめておかなければならないんだよ。

放射線療法

核放射線（p.101を見てね）は、人の体にがんを引き起こすことがあるけれど、がんを治療するのにも使われる。これは「放射線療法」といって、がん細胞がそれ以上増えないように、DNAを壊すことによって細胞分裂を止めるという治療方法なんだ。治療のときは、患者の体に向けて、がん性腫瘍を通り抜けるように、いろいろな角度からたくさんのガンマ線のビームが装置から放出される。こうすると、腫瘍に大量の放射線ビームが集中して当たる代わりに、周囲の健康な部分にはそれぞれ1本のビームだけが当たることになる。放射線療法は患者の健康な細胞にもダメージを与える可能性があるけれど、そのリスクをおかしてでもやる価値があると考えられているんだ。

ねえ、知ってる?

放射能をもつノート

ポーランド出身のフランスの科学者、マリー・キュリーは、放射線の画期的な研究をおこなった。けれど、長い間放射線をあび続けたせいで病気になり、1934年に死んだんだ。現在でも、キュリーの使っていたノートからは放射線が出ていて、危険で手に取ることができないんだよ。

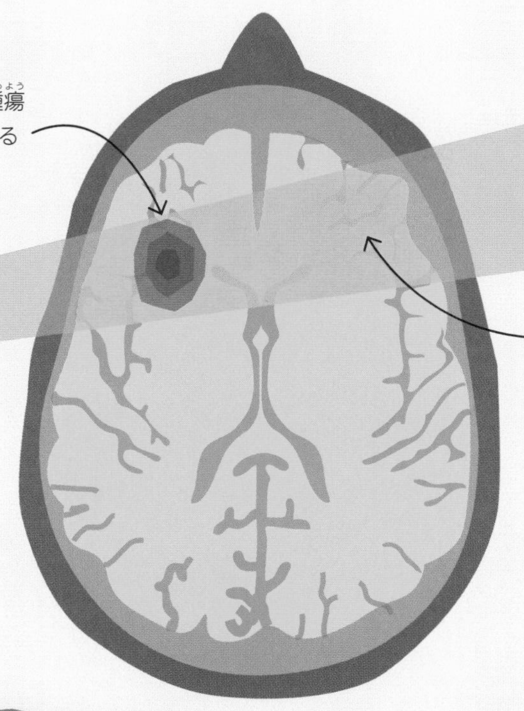

ホントの話

サンゴの白化現象

日本の科学者、猿橋勝子さんは、太平洋を放射線や放射性物質から守るのに力を貸しただけじゃない。海水にふくまれる二酸化炭素の割合を測った初めての科学者でもあったんだ。現在では、二酸化炭素の割合が多くなると、海水がより酸性になることがわかっている。これが、世界中の海のたくさんの場所で、サンゴ礁が白化（あざやかな色が白くなってしまうこと）して、死んでしまう原因の一つになっているんだよ。

すばらしい地球科学者たち

地球は、誕生してからこれまで、いつでも現在のような様子だったわけじゃないし、将来も同じとは限らない。同じように、山や海が形成される要因から、明日の天気の予測まで、たった一つのこの地球という惑星が変化する理由への理解も、何世紀にもわたって進化してきたんだよ。

紀元前350年ころ

降水

凝縮

蒸発

雨が降るしくみ

ギリシアの哲学者、アリストテレスは「どうして雨が降るのか」を解き明かした、最初の人だと信じられている。太陽の熱で水が蒸発して水蒸気になり、上昇して大気の高い層まで行くと、上空の寒さで水蒸気が凝縮（冷やされて気体が液体に状態変化すること）し、降水（雨または雪）として落ちるのだと主張した。これは正しかったんだよ。

地震だ！

中国の科学者、張衡は、地震のゆれをとらえる、世界で初めての装置を発明した。それはつぼのような形で、方位磁石に合わせた8つの方位に、ゆれると動く、突き出した部分があり、どれにも口に玉をはさんだ竜の頭がついていた。そして、それぞれの真下にカエルの形の入れ物を置いたんだ。地震波が届くと、つぼの中のふりこがゆれ、竜の口の玉が1つカエルの口に落ちる。どの方向の玉が落ちたかでゆれの方向がわかるしくみなんだよ。

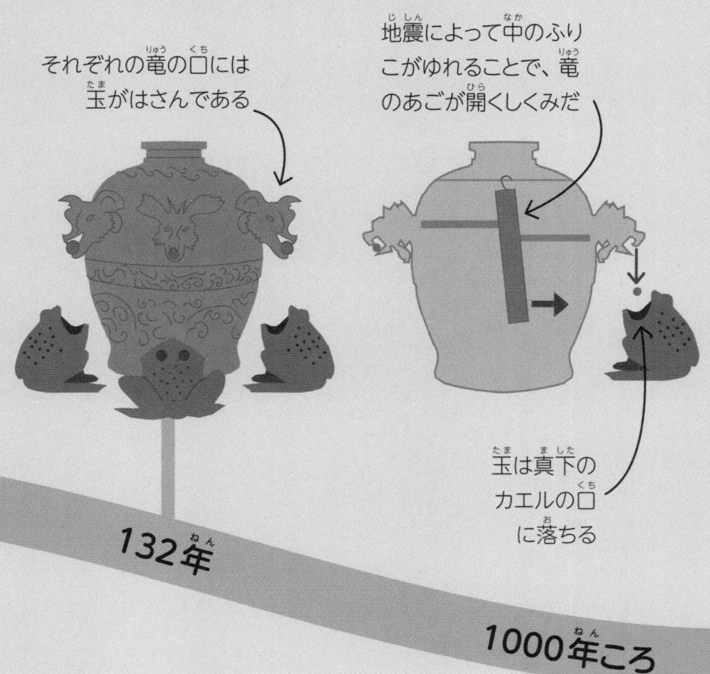

1000年ころ

山脈のでき方

中央アジアの山脈を調査しているとき、ペルシアの哲学者、イブン・スィーナーは、それらの山がどのようにしてできたのかを推測した。地震によって、突然、海底が盛り上がって高くなった、あるいは、侵食というゆっくりしたプロセスで、長い年月をかけて、雨や風などで岩が少しずつけずられて谷ができた、このどちらかだと考えたんだ。スィーナーの考えは、どちらも正しかったんだよ。

温度計

ダニエル・ファーレンハイトが水銀温度計を発明したあと、まもなくスウェーデンの天文学者、アンダーシュ・セルシウスが新しい温度の目盛りを考え出した。セルシウスは水の凝固点（液体が固体になる温度）つまり氷点と、沸点（液体が沸騰する温度）についての実験をして研究していた。そして、この2つの温度を両方とも測れる温度の目盛りがほしいと思っていたんだ。セルシウスはこの温度を“100個のステップ”を表すラテン語にちなんで“centigrade（百分度）”とよんだ。200年くらいあとになって、科学界ではこの温度を測る尺度を、考えた人の名にちなんで「セルシウス度」と名前を変えた。これが、きみたちがふだん使っている摂氏「℃」の温度なんだ。

最初の摂氏温度は「水の沸点が0℃、氷点が100℃」でその間を100個の目盛りに分けていたけれど、のちに、まったく逆の「氷点が0℃、水の沸点が100℃」に変更されたんだよ

1742年

地球はもっと年寄りだ

キリスト教の聖書に影響され、多くの人々は「地球は誕生してから数千年しかたっていない」と信じていた。フランスの博物学者、ビュフォン伯は、化石の存在から判断すると、地球はもっとはるかに歳をとっている――おそらく、誕生してから数百万年はたっている、と主張した。ビュフォンの見積もりは、地球の実際の年齢より少なかったけれど、自然史において、聖書に書いてあることに従わない説明は、その時代では常識をひっくり返すもので、長く続く議論のきっかけになったんだ。

1749年

1088年

化石による記録

中国の科学者、沈括は、気候変動の理論を考え出した、最初の一人だと考えられている。陝西省延安地区の延長という所に住んでいたとき、地すべりによってがけの中から現れた、竹の芽の化石を発見した。沈括は、その辺りの乾燥した気候では、ふつう竹は育たないことを知っていた。そこで、この地域は昔、今とはずいぶん違う気候だったはずだと結論づけた。そして「気候は変化する可能性がある」という、画期的な理論につながったんだ。

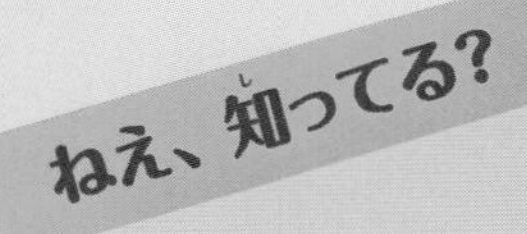

対立する2つの理論

18世紀後半になって、科学界は2つの理論の間で激しく争い、真っ二つに分かれていた。一つは「地表の変化は、すべて大洪水のような自然災害によって起こった」というもので、もう一つは「地表の変化は、とても長い年月にわたる、ゆっくりした自然のプロセスによって起こり、今も続いている」というものだった。どちらが正しいか、決着がつかず、論争はこのあとも続き、チャールズ・ダーウィンの研究にも大きな影響を与えたんだよ。

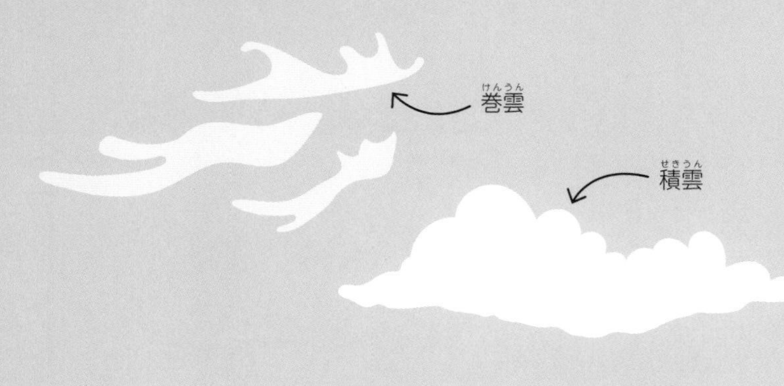

雲を見上げて

19世紀前までは、空に浮かぶ雲について深く考える科学者はほとんどいなかった。でも、イギリスのアマチュアの気象観測者、ルーク・ハワードは、雲に情熱をかたむけ、時間があれば雲のスケッチを描いていた。自分が見分けたいくつかの雲のパターンから、ハワードは雲の形を大きく3つに分類することにした。やがて、これらを組み合わせたタイプを表すのに、もっとたくさんの雲の種類が追加されたんだよ。

2億年前の
パンゲア大陸

パンゲア大陸

ドイツの科学者、アルフレート・ウェーゲナーは、およそ3億年前から2億年前までの間、現在のすべての大陸はつながっていて、パンゲアとよばれる、1つの陸地になっていたという考えを提案した。その後「大陸移動」といわれるプロセスによって、パンゲア大陸はいくつかの大陸に分かれていったというんだ。ウェーゲナーの理論は、現在、世界の反対側にある陸地どうしで、似たような動物が見つかる理由を説明できる可能性があるよ。

1802年　1846年　1912年　1913年

地震波

アイルランドの科学者、ロバート・マレットは、科学者たちを長年なやませていた問題――どうして地震が起こるのか?――を解決する考えを思いついた。マレットは、地下の岩石が動いた結果、地震が起こると気がついた。この動きが地下でゆれを引き起こし、それが波となって地球の表面まで伝わってくるんだ。マレットはこれを「地震波」と名付けたんだよ。

地震波は、震源（ゆれが発生した地下の場所）から地球内部の岩石層を伝わってくる

岩石の年代測定

ウランという元素は長い年月をかけて放射性崩壊をして、最終的に、鉛という元素になる。このことを利用して、イギリスの地質学者のアーサー・ホームズは、岩石の粒の中にふくまれる、ウランと鉛の量の比を調べることによって、地球は少なくとも誕生してから16億年たっていると計算した。この年代測定法のおかげで、1950年代には、地球の本当の年齢が46億歳だということがわかったんだよ。

地球の中心はかたかった

科学者たちは、地球の中心にあるのは、ドロドロにとけた金属だと考えてきた。ところが、地震で発生する地震波を研究していた、デンマークの地震学者、インゲ・レーマンは、地球の中心が実際には2つの層になっていることに気がついたんだ。外側の層（外核）はドロドロの液体の状態だけど、内側の層（地球の本当の中心部）は、これまで見つかっていなかった「内核」という部分で、固体の鉄とニッケルでできているとわかったんだ。

白亜紀の大量絶滅

恐竜に一体何が起こったのだろう?——アメリカの物理学者のルイス・ウォルター・アルヴァレズと、地質学者の息子、ウォルターの2人は、6,600万年前、直径9キロメートルほどの小惑星が、現在のメキシコ湾の辺りに衝突して、大きな地震と津波が起こるとともに、まい上がった細かいちりが1年以上も大気中に広がって、太陽の光をさえぎっていたということを証明する証拠を見つけた。そのせいで植物がかれ果てた結果、恐竜の食べ物がなくなって絶滅したのだと考えられているんだよ。

1936年　1962年　1980年　現在

環境保護への関心

アメリカの生物学者、レイチェル・カーソンは、現代の農業で殺虫剤が大量に使われることによって、土や水路や小川の水が汚染されていることを発見した。そのことが、鳥やそのほかの動物が死んでしまう原因になっていたんだ。カーソンが出版した『沈黙の春』は、人間の活動によって起こる環境へのダメージに注目する、影響力の大きい本だった。現在では、カーソンの研究が、環境保護運動の始まりにつながったと考えられているんだよ。

人工衛星という救世主

人工衛星は、地上にいては手に入らない、地球のさまざまな情報を伝えながら、地球の周りを回っている。たとえば、オゾンや二酸化炭素など、大気にふくまれる気体の割合の変化を測ることによって、気候変動の影響を見つけるのに役立っているんだよ。また、人工衛星から地球に送られる画像からは、山火事が広がる様子や北極・南極の氷が小さくなっている様子など、気候の非常事態についての情報が得られるんだ。さらに、人工衛星から送られてくるデータによって、以前よりもさらに正確な天気の予測ができるようになったんだよ。

何のためにあるの?

宇宙科学

宇宙科学は、“ここまでできる”と信じられている限界を、つねに押し広げ続けている。20世紀初めには、人間が月に降り立つことになるなんて予想する人はほとんどいなかった。けれども現在では、人の代わりに働く無人探査車を火星に着陸させ、やがて人間もそこに行くことを計画しているんだよ。科学者たちは、あらゆるものの中で最大級の疑問――宇宙には、わたしたち地球人しかいないのだろうか?――に答えることにさえ、これまで以上に近づいている。

なぜ、宇宙科学が必要なの？

宇宙はどうやって始まったのだろう？　宇宙が終わりを迎えるとしたら、どのようになるのだろう？　宇宙のほかの天体で、生き物が存在する可能性はあるのだろうか？――これらはとても大きな問題だ。そして、まさに、宇宙科学者たちが研究していることなんだよ。宇宙科学は、心をワクワクさせてくれる、変化の速い学問で、年を追うごとに、より広い範囲の宇宙について、ますますたくさんのことを明らかにしている。その過程で、人工衛星からデジタルカメラ・ノート型パソコンまで、わたしたちの世界を変えた、新しい発明や技術をもたらしてきたんだよ。

宇宙科学ってどういうもの？

宇宙科学は、宇宙を調査・研究する学問だ。宇宙って、これ以上ないほど大きな実験室だよね！　宇宙科学は、天文学のように、とても古くからある分野であり、また、とても新しい分野でもある。たとえば、わたしたちのごく初期の祖先は、月の満ち欠けを観察して最初の暦をつくり、中世の天文学者は、惑星の軌道を研究していた。現在の宇宙科学は、宇宙のしくみとその中に存在する地球について明らかにするという目的をもち、物理学・化学・生物学・コンピュータ科学・さまざまな工学・数学など、科学にかかわるあらゆる分野の知識と技術を集めて研究しているんだよ。

彗星は、氷と“ちり”（砂粒のようなもの）のかたまりで、太陽の周りを回りながらガスや“ちり”を放出している

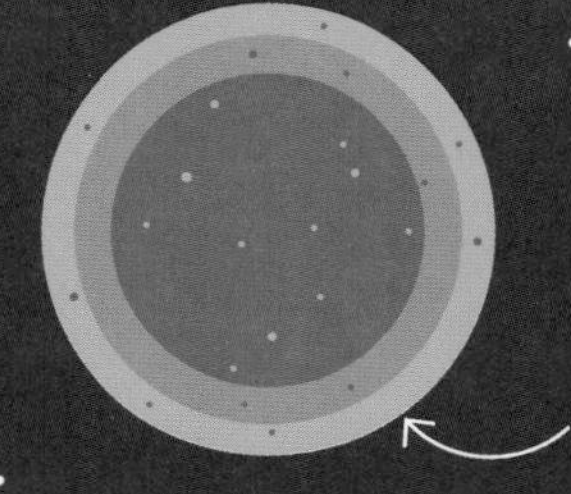

太陽は、その周りを回っている地球上の生命を、光で支えているんだ

小惑星は、岩石や金属の成分でできた小さな天体で、彗星のように太陽の周りを回っている

「光年」ってどういうこと？

宇宙空間での距離は、数値が大きくなりすぎるので、「光年」という特別な距離の単位を使っている。1光年は、光が1年間に進む距離で、およそ9.5兆キロメートルなんだよ！　宇宙にある物体、つまり天体はものすごく離れているので、その光が地球に届くまでに、とっても長い時間がかかるんだ。

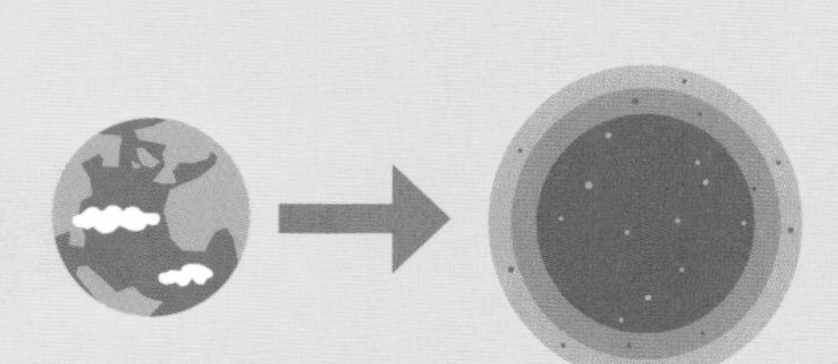

地球と太陽（最も近い恒星）との距離は、約8.3光分（0.00001581光年）

地球とプロキシマ・ケンタウリ（太陽の次に近い恒星）との距離は、約4.3光年

地球と北極星との距離は、約433光年

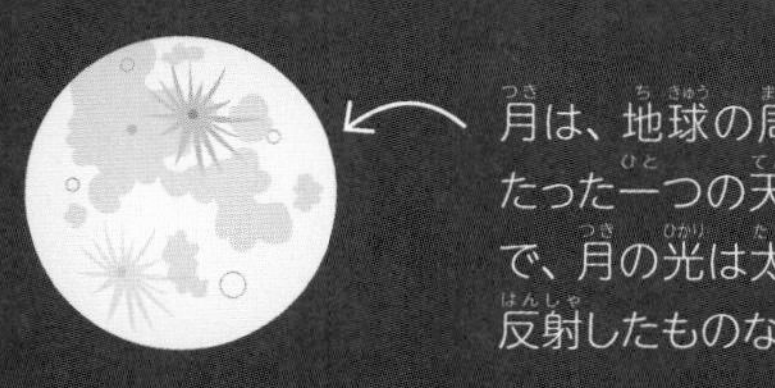

月は、地球の周りを回るたった一つの天然の物体で、月の光は太陽の光を反射したものなんだ

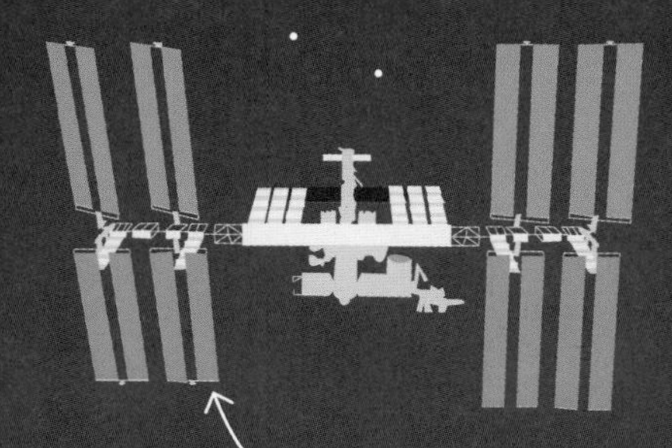

国際宇宙ステーション（ISS）は、人間がつくった宇宙最大の物体で、1日に16回、地球の周りを回っているんだよ

ブラックホールは重力があまりにも強いので、いったんそこに入るとどんなものも出ることはできない――光さえもね

銀河は、数え切れないほどたくさんの恒星（太陽のように、自らかがやく天体の仲間）が、たがいの重力で引き合って一つの集団になっている天体で、宇宙全体には数十億もの銀河があるんだよ

宇宙探査機は、地球を回る軌道をはずれて宇宙空間まで送り出されるけれど、宇宙飛行士は乗っていないんだ

日常生活の中の宇宙科学

宇宙はとても厳しい環境の場所だ。ものすごい低温やものすごい高温といった極端な温度になり、酸素がなく、放射線をあびる危険もある。だから、宇宙探査計画を実現するためには、優秀な人々による、ものすごい量の研究が必要だった。そして、このような研究は、あらゆる種類の驚くような新しい発明につながったんだ。現在、その多くが地球上で使われ、わたしたちの日常生活に役立っているんだよ。

NASA（アメリカ航空宇宙局）が開発した、宇宙で飛行士たちの飲み水をつくり出す技術は、現在、発展途上の地域で水をきれいにするのに使われているよ。

宇宙探査計画のためには、小さくて高性能なコンピュータをつくる必要があった。おかげで、現在、わたしたちの多くが使っているような、軽いノート型パソコンや携帯用の機器が誕生したんだよ。

宇宙服のために開発された繊維は、現在では、熱に強く燃えにくい消防士用の防護服をつくるのに使われているんだ。

携帯電話に小さなデジタルカメラがついているのも、すべてNASAのおかげだ。画質をそこなわずにカメラをより小さくする方法を開発してくれたんだからね。

地球と天の川銀河の中心との距離は、約2万6,000光年

地球とアンドロメダ銀河（地球がある天の川銀河から最も近い銀河）との距離は、約250万光年

地球とGN-z11（“観測可能な宇宙”の中で最も遠い銀河）との距離は、134億光年

どうやって重力にさからうの？

最初のロケット――およそ1000年ころに中国で発明された、ロケットのように飛ぶ花火――は、空高く飛ぶことができた。でも、大気圏の外の宇宙空間まで打ち上げるのに十分なほどパワーのあるロケットを科学者たちが開発するには、20世紀まで待たなければならなかった。この飛躍的な進歩によって、人類は、地球がある太陽系について、そしてその先の広い宇宙について、だれもが夢見ていたよりもたくさんのことを発見できるようになったんだ。

1 1903年、ロシアの科学者、コンスタンチン・ツィオルコフスキーは、“ロケット方程式”（ツィオルコフスキーの公式）を論文で発表した。その計算によって、液体燃料を利用するロケットが、地球の重力からのがれて、地球を回る軌道に達するのに十分な理論上の速度がどのくらいか、わかるようになったんだ。

2 1926年、アメリカの科学者、ロバート・ゴダードは、世界初の液体燃料ロケットを打ち上げた。燃料のガソリンと液体酸素を混合して燃焼させ、発射から約2秒後に地面に激突するまでの間に、空に向かって12.5メートルの高さまで打ち上げることができたんだよ。

もっとくわしい科学の話

脱出速度

地球の重力は、地球上や地球の周りにある、あらゆる物体を地球の中心に向かって引っ張っている。おもに地球と物体の間に働く万有引力によるもので、この地球の重力に打ち勝つためには、物体はものすごく速い速度で移動しなければならない。これを「脱出速度」っていうんだよ。ロケットは、気が遠くなるほど速い、この脱出速度に達するために、たくさんの燃料を燃焼させなくてはならないんだ。

地球にもどる

テニスボールからロケットまで、動く速さが脱出速度に達しないものは、どんなものでも、地球の重力によって地球に引きもどされる。

ロケットの先端にある、なめらかなカーブを描く円すい形の「ノーズコーン」は、宇宙に達すると本体から分かれ、人工衛星（スプートニク1号）を外に出す

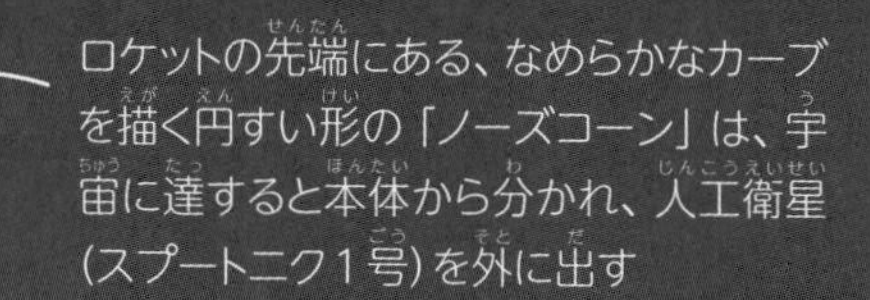

ロケット本体から離れた、小さなスプートニク1号は、地球を1周96分で回った

このロケット本体の周りにある、4つの「ブースターエンジン」は、燃料を使い果たすと、ロケットの重量を軽くして速度を上げるため、本体から切り離される

液体燃料が燃えることによって放出されるガスで、ロケットは宇宙へと押し上げられる

3 1950年代になると、ロケット科学はアメリカとソ連（現在のロシア）の競争になった。どちらが“宇宙へロケットを送り出した世界最初の国”として記録されるか、競ったんだ。この戦いはソ連の勝ちだった。1957年に、スプートニク1号という小さな人工衛星を宇宙まで運ぶのに十分な出力をもつ、ロケットの打ち上げに成功したんだ。ついに、人間がつくり出したものが地球の大気圏外に行ったことで、さらにたくさんの科学的な成果を得る道すじがつくられた。

地球を周る軌道にのる

時速約2万8,400キロメートルで飛び出せば、ロケットは宇宙に行ける。でも、その速さだと地球の重力とちょうどつり合うので、地球の周りを回ることになる。スプートニク1号のようにね。

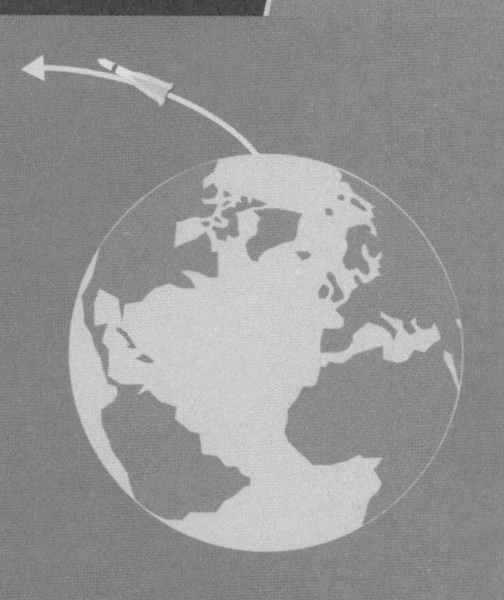

軌道から出る

時速約4万300キロメートル（脱出速度）よりも速く飛び出せば、ロケットは地球の引く力に打ち勝ち、軌道にのらずに太陽系の宇宙空間に進むことができるよ。

重力と質量と重さ(重量)

すべての物体はたがいに引力(万有引力)で引き合っている。でも、きみは近くにいる友達とも近くにある物体ともそんな引力を感じないだろう。ほかの物体にかなりの影響をおよぼすほど大きな引力をもつのは、相手が地球のような、質量がものすごく大きな物体のときだけだ。わたしたちは、地球と地上の物体との間の万有引力を重力(の大部分)として感じるので、万有引力を単に重力ということも多い。質量は、物体そのものの量のことで、形や状態が変わっても、地球上でも、月面上でも変わらない。物体の質量が大きいほど重力は大きくなる。ただし、月面上では重力が地球上の約6分の1と小さいから、宇宙飛行士の重さは月面上では約6分の1になる。この「重さ」は、物体が受ける重力の大きさを示す「重量」のことだ。重力が大きい天体上では重量も大きくなるよ。

*日本の小学校では重さは「質量」、中学校では重さは「重量」という意味で使われているよ

地球をのぞけば、太陽系の中で人間が立ったことのある天体は、月だけだ

水星の上では
26.5 kg

火星の上では
27.5 kg

天王星の上では
65 kg

宇宙飛行士の「質量」はつねに変わらないけれど、太陽系のほかの天体の上に立って測ったら「重量」は全部違うんだよ

*ここでの1kgは物体の質量1kgにかかる重力の大きさのこと

金星の上では
66 kg

地球の上では
73 kg

土星の上では
77.5 kg

海王星の上では
82 kg

木星の上では
184.5 kg

太陽系の惑星の中で、木星は最も質量が大きいので、木星の表面や周りにある物体を引く力、つまり重力は一番大きいんだ

ねえ、知ってる?

重力ってどんな働きがあるの?

地球上でボールを投げたとき地面に落ちるのは、地球の重力の働きがあるからだ——地球の重力によって、ボールが地球の中心に向かって引っ張られているんだよ。わたしたちの足が浮き上がらず、地面にくっついたままでいられるのも、月が地球の周りを回り続けているのも、地球の重力のおかげなんだ。

空間のゆがみ

どうやって重力が生まれるのか、科学者たちにもまだよくわかっていない。でも、アルベルト・アインシュタインの理論は「重力は、空間の“ゆがみ”によって生まれる」と説明している。その“一般相対性理論”によれば、質量の大きい物体があると、その周りの空間がゴムのシートのようにへこむ（ゆがみができる）ため、周りのほかの物体がまるで引っ張られたかのようにそのへこみに落ちてくるというんだ。質量の大きい物体ほどゆがみ具合が大きいため、ほかの物体を引き寄せる力、つまり、重力はより大きくなるんだよ。

ある恒星が空間に大きな深いゆがみをつくると、その中にたくさんの天体が落ちる(引き寄せられる)

スイングバイ（重力アシスト）

宇宙機（探査機など、大気圏外で使われる飛行体）は、燃料を限られた量しか積んでいない。だから、燃料を節約する1つの方法として、宇宙機を「スイングバイ」させることがある。これは、天体の重力を利用するので「重力アシスト」ともいうよ。宇宙機が惑星の近くを通過するとき、その惑星の重力と公転（太陽の周りを回る運動）の働きを利用すれば、貴重な燃料を使い果たさずに、進行方向を変えたり、速くしたり遅くしたりできるんだ。

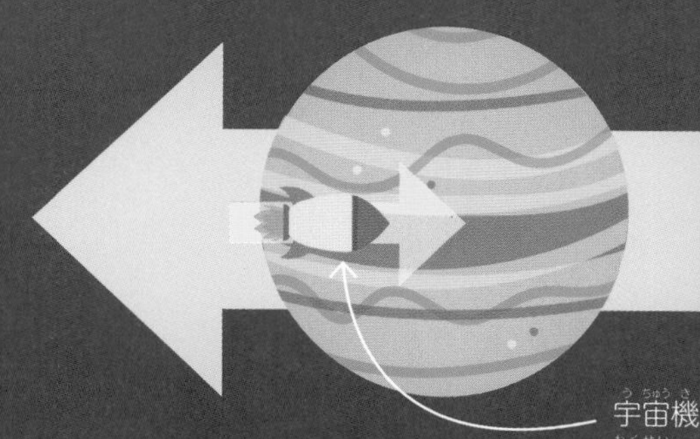

惑星の公転方向

宇宙機が公転する惑星の前を横切るように通過した場合、遅くなる

惑星の公転方向

公転している惑星の後ろを宇宙機が通過した場合、宇宙機が惑星の重力から脱出するとき、速くなる

宇宙機が惑星に近づくと、惑星の重力に引っ張られ、自然に速くなる

惑星の重力に引っ張られて、燃料を使わなくても方向が変えられる

ホントの話

木星探査機「ジュノー」

2013年、打ち上げから2年後、NASAの木星探査機「ジュノー」は、地球を利用してスイングバイ（重力アシスト）をおこなった。地球の重力と公転の働きのおかげで、ジュノーは進む方向を変え、ジュノーを打ち上げたロケットのエンジンとほぼ同じパワーの推進力をもらって、2016年に木星に到達したんだよ。

宇宙はどうやって始まったの？

20世紀の中ごろ「宇宙がどうやって始まったのか」という問題について、科学者の間では意見が分かれていた。あるグループは「宇宙はつねに存在し、これから先も存在し続ける」と信じていた。それに対して「“ビッグバン”という大爆発のあとから、宇宙は存在するようになった」と考えるグループがあったんだ。2つのグループの論争は、2人の科学者が、本当に偶然、信じられないような発見をするまで続いたんだよ。

1 1964年、アメリカの科学者のアーノ・ペンジアスとロバート・ウィルソンは、ニュージャージー州のホルムデルに建てられた巨大なアンテナを使って、わたしたちの太陽系がある、天の川銀河（銀河系）から届く電波信号を調べていた。そのとき、ラジオの雑音のように聞こえる、奇妙なノイズがあることに気がついたんだ。

2 2人がアンテナをどの方向に向けても、たとえ何もない空間に向けても、その音は聞こえてきた。調べてみると、アンテナの中にハトの家族が巣をつくっていた。そのフンが干渉して（じゃまをして）いるんじゃないか、と疑った2人は、巣を取り除いてフンをきれいに片付けた。だけど、それでもまだ、ノイズは消えなかったんだ。

3 まだ、頭をなやませていた2人は、仲間の科学者、ロバート・ディッケが考え出した興味深い理論を見つけ、ディッケを招いて話をくわしく聞いた。そして、3人は一緒に、信じられないようなことに気がついた――そのブーンという音は、実は、宇宙の始まりに放射された電波のなごりだったんだ。その宇宙の始まりこそ、ビッグバンだったんだよ！

もっとくわしい科学の話

宇宙マイクロ波背景放射

巨大アンテナがとらえた電波のなごりは「宇宙マイクロ波背景放射」として知られている。天文学者たちは、宇宙マイクロ波背景放射をビッグバンのあとに残された光だと考えている。この発見は「もし本当にビッグバンが起きたのなら、初期の巨大な爆発によって宇宙全体に熱放射があったしるしがごく少量でも残っているはずだ」という、ロバート・ディッケの理論を証明したんだ。

この画像は宇宙に広がる宇宙マイクロ波背景放射の温度分布を表している

赤い領域は、平均より温度が高く、青い領域は、平均よりも温度が低い

宇宙のあらゆるものはどうやって始まったの？

ビッグバン理論によれば、宇宙はおよそ138億年前に始まった。宇宙に存在するあらゆるものは、本当に小さな１つの点のようなものに圧縮され（押し縮められ）ていた。それが「ビッグバン」とよばれる大爆発の直後からものすごい速さで、まるで風船が一気にふくらむように膨張し、わたしたちが知っている宇宙が存在するようになったんだ。それ以来、宇宙は膨張し続けているんだよ。

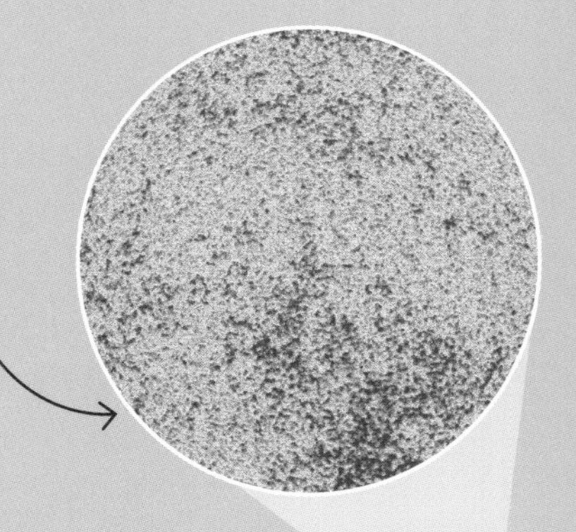

今、観測されている、宇宙マイクロ波背景放射は、ビッグバンで放出された光のなごりだ

ビッグバン

ビッグバンとよばれる大爆発が、宇宙が始まる膨張のきっかけとなった

宇宙が急激に広がる

ほんの一瞬で、宇宙はものすごく膨らんで広がった

物質の構成粒子ができる

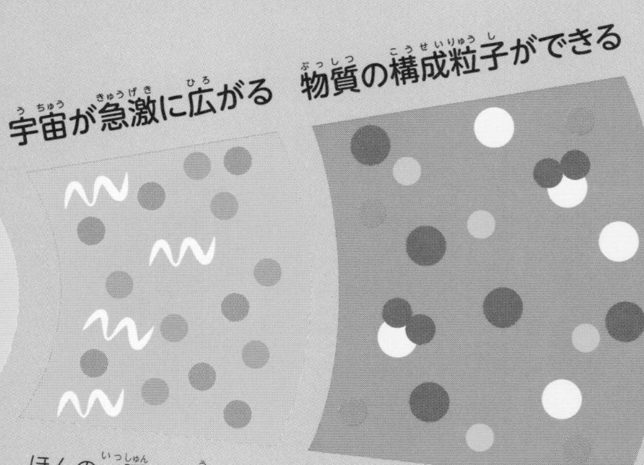

宇宙は膨張するにつれて冷え始め、あらゆるものを構成する、最も小さい素粒子が形になり始めた

陽子や中性子ができる

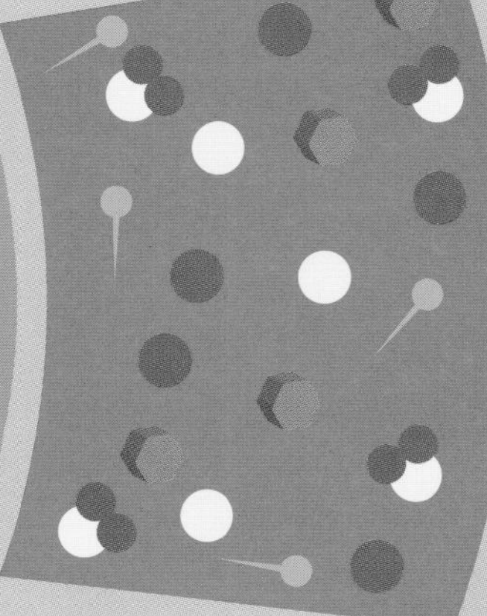

ビッグバンからおよそ100万分の１秒後から、陽子と中性子という、原子より小さい粒子ができ始めた

原子ができる

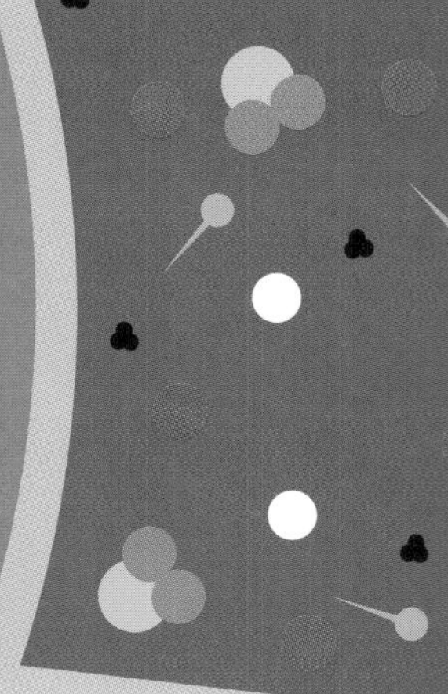

ビッグバンからおよそ38万年後、電子と原子核（陽子と中性子）が結合して原子が形成された

地球は宇宙のどんな位置にあるの？

太陽は「天の川銀河」または「銀河系」とよばれる銀河を構成する、少なくとも1,000億個の恒星の１つだ。銀河は、いろいろな形をしているけれど、天の川銀河は“渦巻銀河”の中の“棒状渦巻銀河”という種類の形で、中心部が棒状にのびていて、その両端から渦状の腕がのびている。地球をふくむ太陽系は、その中の小さな腕の「オリオン腕」の中にあるんだよ。

地球は、太陽系の惑星の中で、太陽から３番目の位置にあるんだよ

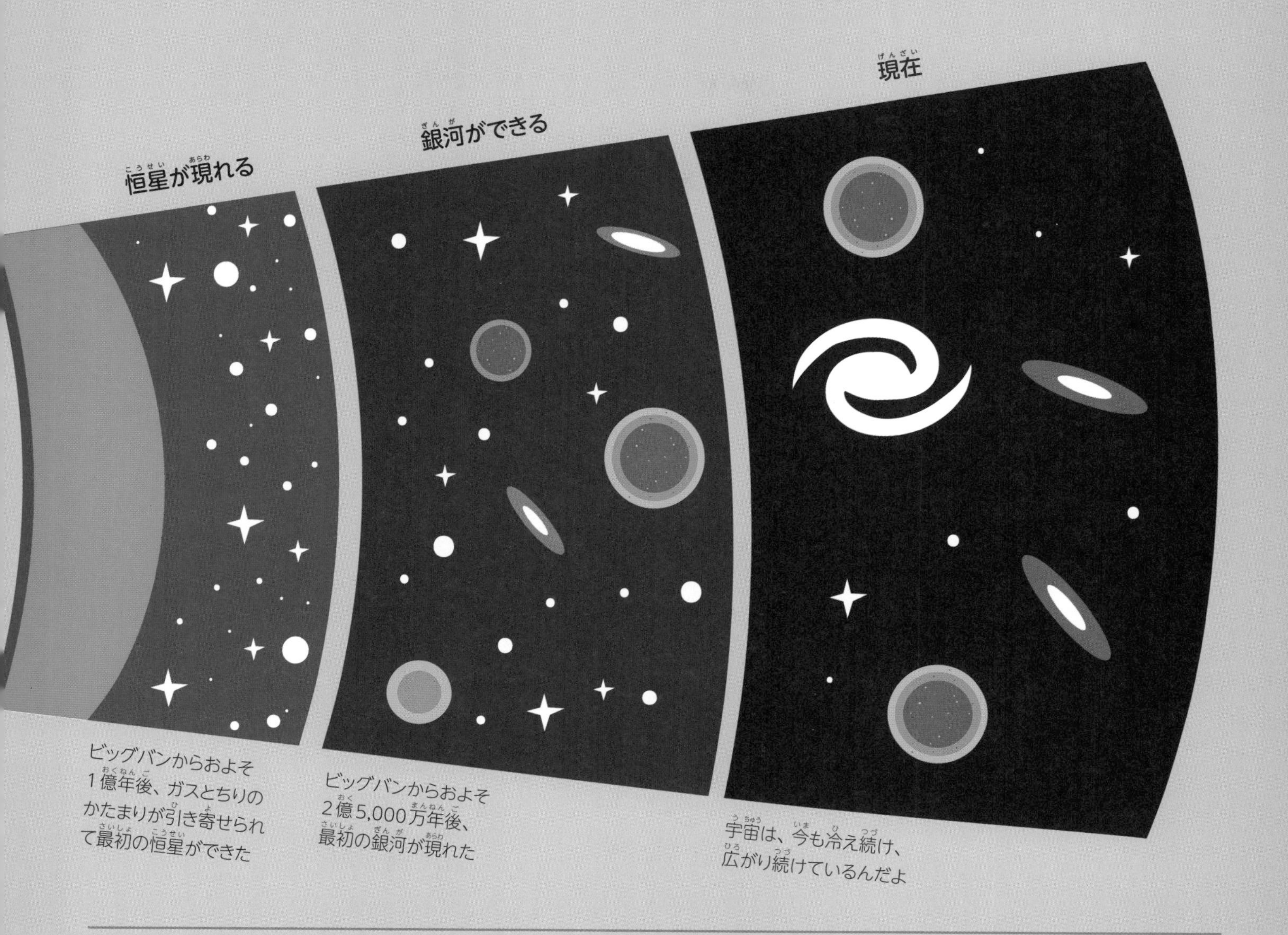

ねえ、知ってる?

どんどん遠くへ

宇宙は今でも、急速に膨張して広がっている。だから、宇宙のあらゆるものは、宇宙が広がる割合に合わせて、ほかのものから離れ続けているんだ。現在、遠く離れていても光が地球まで届いていた恒星が、数百万年後の将来、あまりにも地球から離れすぎて、地球に光がまったく届かなくなるときがくるかもしれないんだよ。

宇宙の終わりは、やってくるの?

宇宙が膨張するエネルギーがいずれは使い果たされ、今度は宇宙が収縮（ちぢんで小さくなること）し始めて、小さな1つの点にもどる可能性も考えられる。この考えは「ビッグクランチ理論」として知られている。ビッグクランチのあとに残された、これ以上ないほど高い密度の小さな点のようなものから、また新たな宇宙が誕生する可能性も考えられるんだよ。

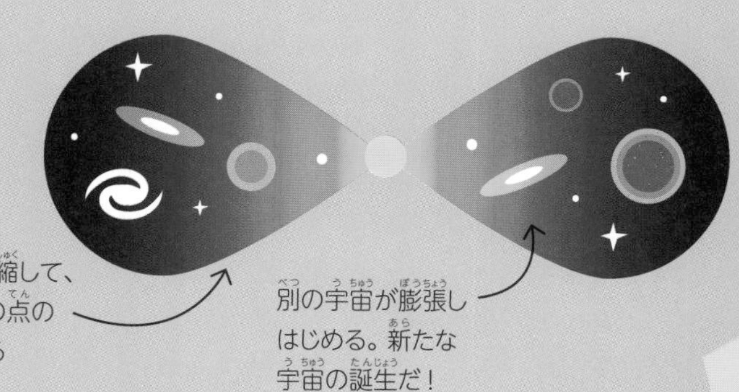

現在の宇宙が収縮して、ごく小さな1つの点のようなものになる

別の宇宙が膨張しはじめる。新たな宇宙の誕生だ！

すばらしい宇宙科学者たち

古代から、人間は空を見上げ、身の周りの世界の先には何があるのだろうとあれこれ考えをめぐらせてきた。そして、星を観察して星図をつくることから、地球を回る軌道に人工衛星をのせることまで、宇宙についてより多くのことを学んできたんだ。そうすることで、地球以外の世界に対する知識を増やし、みんなが“ここまでできる”と信じてきた限界を、押し広げてきたんだよ。

星図

朝鮮半島にあった李氏朝鮮という国の天文学者たちは「天象列次分野之図」とよばれる、星図（夜空の星の位置を地図のように平面に示した図）をつくった。この星図には、1467個の恒星が示され、283種類の星座が設定されている。星座というのは、目立ついくつかの恒星の見かけの配置を線でつないで、何かの形に見立てたものなんだよ。

1395年

紀元前7世紀

1420年代

世界最古級の天文台

朝鮮半島にあった新羅という国の都（現在の韓国の慶州市）に、天文台が建築された。“天文台”という意味の「瞻星台」として知られ、古代の天文学者が夜空を観測するのに利用されたものと考えられているんだ。慶州瞻星台は、現在でもそのまま残っている、世界で最も古い天文台とされているんだよ。

365個の石を積み重ねた構造で、1つの石が1年間の1日を表している

ウルグ・ベク

天文学者であり、中央アジアのティムール朝の君主でもあった、ウルグ・ベクは、サマルカンド（現在のウズベキスタンの都市）に3階建ての天文台を建設した。これは、1449年に壊されてしまったけれど、巨大な「四分儀」（恒星の位置を計算するのに使われる円の4分の1のおうぎ型をした装置）の一部は今も残っているんだよ。

タキ・アルジンの天文台

数学者で天文学者でもあった、タキ・アルジンは、オスマン帝国の首都、イスタンブールに天文台を設立した。その天文台があったのは数年だけだった（破壊されてしまった）けれども、その時代としては世界最大級の天文台だったと考えられているんだよ。

楕円軌道

ドイツの数学者で天文学者のヨハネス・ケプラーは、惑星運動の法則を発表した。そのうち、ケプラーの第1法則は、惑星が「楕円軌道」とよばれる、まるい円をつぶしたり引っ張ったりした形を描く道すじを通って、太陽の周りを回っていることを証明した。また、ケプラーの第2法則は、楕円軌道上のさまざまな位置での惑星の速度を計算する方法を示したんだよ。

1543年　1577年　1609年　1610年

太陽中心説

ポーランドの天文学者、ニコラウス・コペルニクスは「太陽中心説」という理論を発表した。これは「宇宙の中心には、地球ではなく太陽があり、すべての惑星や恒星は太陽の周りを回っている」というもので、それまで信じられてきた地球中心の「天動説」に対して「地動説」とよばれることが多いんだ。現在では、太陽は太陽系の中心であって、宇宙全体の中心でないことがわかっているけれど、それでもコペルニクスの理論が革命的だったことに変わりはない。その時代に広く信じられていた天動説はまちがっていると主張したんだからね。

木星の衛星

イタリアの天文学者、ガリレオ・ガリレイは、望遠鏡を使って、木星の周りを回る「衛星」（地球の月のように、惑星の周りを回る天体）を4つ発見した。このことによって、コペルニクスがいったように「宇宙のあらゆるものが地球の周りを回っているわけではない」ということが明らかになった。そこでガリレオは、コペルニクスの太陽中心説（地動説）が正しいと思うようになったんだよ。

ガリレオは、天体観測に望遠鏡を最も早くから使った科学者の一人だった

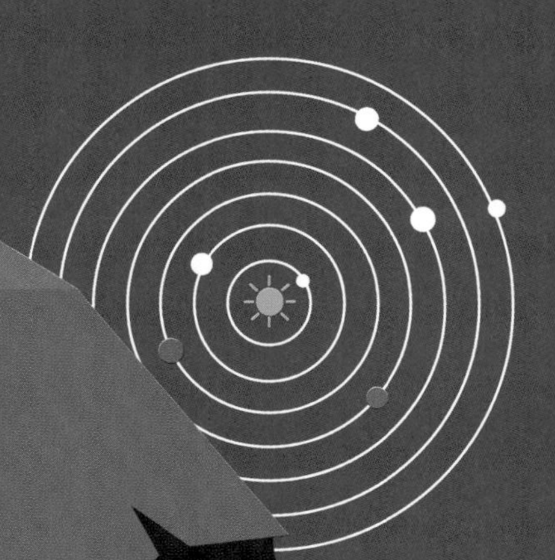

脈動変光星

“脈動”（星が膨張と収縮をくり返したり、形を変えたりすること）によって明るさが周期的に変化する、ケフェイド変光星とよばれる恒星の集団を研究しているとき、アメリカの天文学者のヘンリエッタ・スワン・リービットは、変光星の明るさがもとの明るさにもどるまでの時間（変光周期）とその星の明るさ（光度）との間にかかわりがあることを発見した。この発見によって、このような恒星と地球との距離を計算できるようになったんだよ。

ブラックホールの発見

数十年前から、ブラックホールという、重力が信じられないほど強く、入りこんだら絶対に脱出することはできない宇宙の領域があるといわれてきたけれど、科学者たちは、ブラックホールが本当にあるのか、疑いをもっていた。でも、この年、観測ロケットによって、はくちょう座X-1が発見され、ブラックホールがあることが証明されたんだ。現在では、はくちょう座X-1は「恒星ブラックホール」とされている。ものすごく質量の大きい恒星が自らの重力にたえられず崩壊してできたブラックホールのことだよ。

1912年　1961年　1964年　1967年

世界初の有人宇宙飛行

ソ連（現在のロシア）の宇宙飛行士、ユーリイ・ガガーリンは、歴史の残るすごいことをなしとげた。人類で初めて宇宙に到達した人になったんだ。ガガーリンは、ボストーク1号という宇宙機のカプセルの中にすわり、108分間、地球の周りを回った。大気圏に再突入したあと、ガガーリンはカプセルから放り出され、地球にパラシュートで降りてきて着地したんだよ。

謎の電波の正体

イギリスの北アイルランド出身の天体物理学者、ジョスリン・ベル・バーネルは、自分がその建設にもかかわった、巨大なパラボラアンテナをもつ電波望遠鏡を使って、宇宙から届く、正体のわからない電波信号を発見した。バーネルの研究チームは、その後、その電波が中性子星（超巨星が重力によって崩壊して起こる超新星爆発で残った、ものすごく密度の高い天体）からのものだと明らかにした。この天体は高速で自転して、脈を打つように電波を放射している。現在ではこのような天体を「パルサー」とよんでいるよ。

地球から230億キロメートル以上離れていても(2022年5月現在)、ボイジャー1号のアンテナはデータを送り続けているんだ

ハッブル宇宙望遠鏡

NASA(アメリカ航空宇宙局)は、ハッブル宇宙望遠鏡を打ち上げて、地球を回る軌道にのせた。これは世界で初めて宇宙空間に置かれた天体望遠鏡だ。地球の大気圏の外にこの望遠鏡があるということは、地表から見るよりもはるかにはっきりと宇宙の天体が見えるということだ。おかげで、科学者たちは、何十億光年も離れた宇宙をくわしく観測できるようになり、新しい惑星・恒星・銀河や、宇宙で起こるたくさんの現象を発見したんだよ。

ボイジャー1号

NASAが1977年に打ち上げた、ボイジャー1号という宇宙探査機は、宇宙空間を進み、木星と土星の近くを通り過ぎながら、それらの惑星の情報を集めた。でも、ボイジャー1号の旅はそこで終わりではなかったんだ。2012年8月、この探査機はついに星間空間に入り、人間がつくったものとして、初めて太陽系の外に出た物体になったんだよ。

1969年　1990年　2012年　2021年

世界初の月面着陸

ユーリイ・ガガーリンの人類初の宇宙飛行から8年後、人類で初めて月面を歩いたのは、アメリカの宇宙飛行士、ニール・アームストロングだった。その19分後には、同じ宇宙飛行士のバズ・オルドリンが月に降り立った。2人は月の表面にアメリカの国旗を立て、写真をとり、月の石や土のサンプルを集め、化学実験をおこなった。そして、地球に無事にもどってきたんだよ。

火星探査プログラム

NASAのマーズ・ローバー(火星探査車)、パーサヴィアランスが火星に着陸した。「火星の表面の岩石や土ぼこりのサンプルを集める」「その惑星に過去に生き物がいたことを示す証拠があるか探す」「火星の周りの大気から酸素をつくり出すことができるかテストする」といったミッション(任務)を果たすため、地球から送られたんだ。これらのテストは“赤い惑星”とよばれる火星に、初めて人類を連れていくという、将来のミッションの準備に役立つように設計されているんだよ。

科学界のスターたち

数学者から微生物学者、宇宙物理学者、電子技術者にいたるまで、世界中の科学者が、わたしたちを取り巻く世界と宇宙に対する理解を深めるのに力を貸してきた。ここに集めた科学界のスターは、社会に影響をおよぼす研究成果をあげた、すばらしい人々のほんの一部だ。

物理学

ジャック・キルビー

アメリカの電子技術者、ジャック・キルビー（1923～2005年）は、世界で最初の集積回路（IC）をつくった。こうした電子部品はICチップやマイクロチップといわれることもあるよ。キルビーのすばらしい発明によって、電子機器が、より小さく、より安く、より信頼できるものとして製造できるようになったんだ。

生物学

ロザリンド・フランクリン

イギリスの科学者、ロザリンド・フランクリン（1920～1958年）は、生き物の細胞の中にある、遺伝情報をになう高分子化合物、DNAについての理解を深めるのに重要な役割を果たした。フランクリンはDNA分子のX線写真を撮影して、その分子構造を明らかにしたんだ。この研究は、生き物が遺伝情報をどのように受けついでいくのかを理解する道すじをつくったんだよ。

ジャン=ジャック・ムエンベ=タムフム

1970年代、コンゴ民主共和国の微生物学者、ジャン=ジャック・ムエンベ=タムフム（1942年～）は、エボラウイルス感染症という命にかかわる病気の存在を初めて確認した人だ。そして、2010年代には、その病気に効き目のある治療法を開発したチームのリーダーとして活躍したんだよ。

地球科学

ユーニス・ニュートン・フット

アメリカの科学者、ユーニス・ニュートン・フット（1819～1888年）は、太陽の熱がさまざまな気体に与える影響について実験し、地球の大気中にふくまれる二酸化炭素の割合が増えることによる危険について発見した。つまり、地球温暖化の原因を最初に特定した人なんだよ。

化学

パーシー・ラボン・ジュリアン

パーシー・ラボン・ジュリアン（1899～1975年）は、人種的偏見とたたかいながらも、アメリカで最も影響力のある化学者の一人になった。ジュリアンは、植物から化学合成によっていろいろな薬の成分をつくり出す方法を開発し、それらを大量生産できるようにしたんだよ。

ジャガディッシュ・チャンドラ・ボース

インドの科学者、ジャガディッシュ・チャンドラ・ボース（1858～1937年）は、電波信号を探し出す装置（検波器）を開発した。でも、ボースは特許をとらないと決めたので、代わりにイタリアの発明家、グリエルモ・マルコーニが、無線通信やラジオ放送の発明で名声を得たんだよ。

ネルギス・マバルバラ

パキスタン出身の天体物理学者、ネルギス・マバルバラ（1968年～）は、重力波を最初にとらえた研究チームの中心人物だった。とてつもなく質量の大きい物体が運動すると、その重力によってゆがんだ空間（p.115「空間のゆがみ」を見てね）が、波のように広がっていく。その波のようなものを重力波というんだ。その研究によって、アインシュタインの一般相対性理論の主要部分を確かめることができたんだよ。

マリオ・モリーナ

メキシコの化学者、マリオ・モリーナ（1943～2020年）は、人間がつくり出した、フロンガスといわれる危険な物質が地球の大気にダメージを与えることを発見した。その後、モリーナは、このような物質の使用を禁止する国際的な取り決めをつくる手伝いをした。この取り決めは大気中のオゾン層を救うのに役立っているんだよ。

ワンガリ・マータイ

ケニアの環境保護活動家、ワンガリ・マータイ（1940～2011年）は、「グリーン・ベルト・ムーブメント」という団体を設立し、5,000万本以上の木を植える活動を始めた。このような緑化活動は、環境破壊に立ち向かう推進力になったんだよ。

ガートルード・エリオン

アメリカの化学者、ガートルード・エリオン（1908～1999年）は、新しい薬の研究をしているとき、細胞自体は傷つけずに、細胞に入ってきた病原体（病気を引き起こすウイルスや細菌など）だけをねらってダメージを与える薬を設計した。エリオンの研究は、白血病やマラリアやさまざまなウイルス感染症の治療を成功に導いたんだよ。

宇宙科学

ワレンチナ・テレシコワ

1963年、ロシアの宇宙飛行士、ワレンチナ・テレシコワ（1937年～）は、宇宙飛行をした最初の女性になった。そのミッションの間、テレシコワは、人間の体が宇宙飛行にどう反応するのか記録をとるため、さまざまなテストをおこなったんだよ。

スブラマニアン・チャンドラセカール

インド出身の天体物理学者、スブラマニアン・チャンドラセカール（1910～1995年）は、1930年代にその質量を超えた天体がブラックホールになりうるという限界の質量の計算を成しとげた。でも、のちにチャンドラセカールの計算が科学界で高く評価されるまでには、50年もかかったんだよ。

用語集

圧力
ある面に対して垂直に押す力。単位面積（$1m^2$）あたりの力で表される。単位はPa（パスカル）。

天の川銀河（銀河系）
棒渦巻のような形をした、何十億もの恒星が集まった、巨大な銀河。太陽を中心とする太陽系の惑星（地球もふくまれる）は、天の川銀河の中にある。

アルカリ性
物質を溶かした水溶液のpHの値が7より大きい場合「アルカリ性」という（塩基性ともいう）。

遺伝学
遺伝子が親から子へどのように受け継がれるかを研究する、生物学の一分野。

遺伝子
生き物の細胞の中にしまわれている、親から子へ受け継がれ、子の特性に影響を与える情報。

緯度
地球上で赤道からどれだけ南または北かを表すもの。赤道は0度で、北極は北緯90度、南極は南緯90度と表される。

ウイルス
生き物の細胞に侵入して、自らのコピー（まったく同じもの）をその細胞につくらせる寄生生物。なお、ウイルスを生物にふくめるかどうかについては議論がある。

宇宙科学
宇宙の構造とその歴史と未来についてや、宇宙空間にある天体について調査・研究する、科学の一分野。

液体
物質の状態の一つで、一定の体積をもち、自由に流れて容器によって形を変えるもの。液体の状態では、分子はある程度自由に動き回る。

X線
人間の体の中を調べる写真（X線写真）を撮るのに使われる放射線の一種。

エネルギー
ものを動かしたり、燃やしたり、光らせたり、化学反応させたりするなど、「仕事をする」ことができる能力。

オゾン層
大気の層のうち、高度10～50キロメートルあたりで、オゾンという気体が多くふくまれている部分。太陽から届く危険な紫外線を吸収して、地球上のわたしたちを守っている。

温度計
温度を測るのに使われる機器。

化学
物質の構造や性質・物質どうしの間で起こる変化や反応について研究する、科学の一分野。

科学的方法
科学者が考えた予想を実験によって確かめることによって、新しい事実を発見する方法。

化学反応
化学変化ともいう。ただし、化学反応はそのプロセスを指すことが多い。1つ以上の物質を構成する原子が組み替えられ、1つ以上の新しい物質ができること。

化石
生き物の死んだ体や、その生活のあとなどが、岩石に閉じ込められてかたまり、保存されたもの。

化合物
2種類以上の元素の原子が結びついてできた物質。

気圧計
大気の圧力（大気圧、または、気圧）を測るための装置。

気体
物質の状態の一つで、どんな形にもなり、どんな容器でも満たすことができるもの。気体の状態では、ばらばらになった分子が自由に動き回る。

銀河
恒星や星雲や“ちり”などが、たがいの重力によって引き合って一つの集団になっている天体。宇宙には何十億もの銀河がある。

金属
金属光沢という独特なつやをもち、電気と熱を通しやすく、たたくと広がり、引っ張るとのびる性質をもつ物質で金属元素からできている。

経度
地球上で、本初子午線（北極からイギリスのロンドンにある旧グリニッジ天文台の跡地を通って南極までを結ぶ想像上の線）という基準の線を0度として、どれだけ東または西かを表すもの。

原子
わたしたちの身の回りのあらゆるものを構成する、ごく小さな粒子。原子は、陽子・中性子・電子でできている。

原子核
原子の中心にある、陽子と中性子でできた粒子。

原子力
原子核が分裂するとき、または、2つの原子核が融合（結びつく）するときに発生するエネルギー。核エネルギー、または、原子エネルギーともいう。

元素
物質をつくっている原子の種類のこと。

恒星
非常に熱い気体（おもに水素とヘリウム）が重力によってとどまっている巨大な球形の天体。

抗生物質
細菌を殺す薬。

光年
1年間に光が進む距離。宇宙での遠く離れた距離を表すのに使われる。

鉱物
岩石の中で見つかる、天然に存在する物質で、1種類の化学組成の成分でできた、特有の性質をもつ。

固体
物質の状態の一つで、簡単には形や体積が変化しないもの。固体の状態では、原子または分子はたがいにしっかり結合している。

細菌
地球上のおもな生き物の種類の一つである、ごく小さな単細胞生物（1つの細胞でできている生き物）。

細胞
生き物の体をつくる最も小さい単位で、すべての生き物の構成要素。

細胞核
大部分の生き物の細胞の中にある小さな器官。DNAをしまっていて、細胞の活動をコントロールしている。

酸性
物質を溶かした水溶液のpHの値が7より小さい場合「酸性」という。

磁石
鉄など特定の金属を引きつける磁力（磁気力）をもつ物体。

自然選択
生き物の生き残りをかけた競争で、環境に応じて、よい形質をもつものが生き残り、その形質を次の世代に引き継ぐという考え。自然淘汰ともいう。

湿度計
大気の湿度（空気の中にふくまれる水蒸気の量の割合）を測る装置。

質量
キログラム（kg）・グラム（g）・トン（t）などの単位で示される、物体を構成する物質の量。

周期表
これまでに見つかっている、すべての元素を、原子番号順にならべた表。性質が似ている元素がたてにならぶようになっている。

重合体（ポリマー）
たくさんの小さな分子が鎖のように結合してできた、とても大きな分子。このような構造の高分子化合物の多くは、とても丈夫であるなど、役に立つ性質をもっている。

重力
①地球上や地球の周りにある、あらゆる物体を地球の中心に向かって引っ張る力。おもに地球がもつ万有引力によるもので、地上では地球の自転の遠心力の影響を受けるため、場所によって重力の大きさは違う。②自転の遠心力などを無視できるほどスケールの大きい宇宙空間の話では「重力」とは、すべての物体がもつ「万有引力」と同じ意味で使われる。すべての物体はその物体の質量に応じた大きさの重力（万有引力）をもち、たがいに引き合っている。

進化
自然選択によって、生き物が環境に適応しながら、長い間に段階的に変化していくこと。

スイングバイ
宇宙機が惑星の近くを通り過ぎるとき、その惑星の重力と公転（太陽の周りを回る運動）の働きを利用して、進行方向や速さを変えること。「重力アシスト」ともいう。

静電気
まさつなど何かの要因で、物体が、正の電気を帯びた粒子がたまる状態（プラスに帯電）か、負の電気を帯びた粒子がたまる状態（マイナスに帯電）になること。

生物学
生き物にかかわるさまざまな研究をする、科学の一分野。

赤道
地球を北極のある北半球と南極のある南半球に分ける、円の形をした想像上の線。

ソナー
音波を送り、その反響（エコー）を読み取ることによって、物体を探す装置。

代
地質時代の中の時代区分。「新生代」「中生代」などの地質年代のこと。

太陽系
太陽と、太陽の周りを回るすべての天体（地球やそのほかの惑星をふくむ）の集まり。天の川銀河のごく小さい一部分。

対立遺伝子
対立形質（親から受け継がれる、形や大きさや色などの生き物の特徴のうち、同時に現れることがないもの）を決める、それぞれの遺伝子。

脱出速度
物体がある天体の重力（引力）を振り切って脱出でき、再びその天体にもどらないために必要な最小限の運動速度。

力
物体を変形させたり、物体の運動の状態（物体の速さや進行方向）を変えたりする働きをするもの。

地球温暖化
人間の活動が原因で地球の平均気温が上昇すること。

地球科学
地球や大気（地球の周りにある気体）について研究する、科学の一分野。

地質学
岩石や鉱物を研究する、地球科学の一分野。

中性子
原子の中の原子核を構成する2種類の粒子のうちの一つ。中性子は正の電気も負の電気も帯びていない。

電気
電子の移動によって生じるエネルギーの流れ。

電子
原子を構成する3種類の粒子のうちの一つで、負（－）の電気を帯びている。原子核の周りをいくつかの層（電子殻）に分かれて回っている。

電流
回路における電気の流れのことで、＋極から－極へ流れている。後に電子が発見されると電子は回路を－極から＋極へ移動していることがわかったが、電流の向きはそのままにした。

万物
宇宙と宇宙にふくまれるあらゆるもの。

光
ふつうは、目を刺激してものが見えるようにする可視光線（人間の目に光として感じる電磁波の一種）のこと。赤外線から紫外線までを「光」とすることもある。光は波のようにも、粒子のようにもふるまう。

微生物
細菌やウイルスのような、顕微鏡でしか見ることのできない、とても小さな生き物の仲間。微生物の中には、ほかの生き物にとって有害なものがある。

ビッグバン
宇宙を誕生させたと考えられている、138億年前に起きた大爆発。

避雷針
落雷から建物や人を守るため、高いところで雷を誘導して電流を地中に安全に流すもの。

物質
わたしたちの周りにあるあらゆるものをつくっているもの。すべて原子からできている。

物理学
物質・エネルギー・運動・空間・時間のようなテーマを扱いながら、宇宙のあらゆるものの性質としくみを研究する、科学の一分野。

分子
2つ以上の原子が結びついてできた粒子。

放射
ある場所から別の場所へ、波、または粒子の形でエネルギーを移動させること。

放射性元素
大部分の元素の原子の原子核は安定しているけれど、一部の元素の原子の原子核は不安定で、原子核が壊れて放射線を放出する。このような不安定な原子核をもつ元素を放射性元素という。放射性元素をふくむ物質を放射性物質という。

溶液
物質の分子がある液体の中に広がっている状態の混合物。

陽子
原子の中の原子核を構成する2種類の粒子のうちの一つ。陽子は正の電気を帯びている。

粒子
素粒子・原子・分子など、物質を構成する小さなつぶ。

錬金術
化学の前段階となる活動で、"賢者の石"とよばれる、とらえどころのない想像上の物質を探そうとしていた。この物質によって、ふつうの金属を金に変えられると考えられていた。

DNA
細胞の中にある、デオキシリボ核酸という名前の化学物質で、遺伝情報をしまっている。

GPS（全地球測位システム）
宇宙の複数の人工衛星と地上のGPS受信機を備えた機器を利用して、地球上の自分のいる位置や、自分が行きたい場所への行き方を知ることができるシステム。

pH（水素イオン指数）
水溶液の酸性・アルカリ性の程度を表す数値（水素イオン濃度指数ともいう）。酸性の物質が溶けている液体はpHが1～6で、アルカリ性の物質が溶けている液体はpHが8～14を示す。

さくいん

ACKNOWLEDGMENTS

DK would like to thank the following people for their assistance in the preparation of this book:

Editorial Assistant: Zaina Budaly; Additional Writing: Maliha Abidi; Picture Research: Vagisha Pushp; Picture Research Manager: Taiyaba Khatoon; Cutouts and Retouches: Neeraj Bhatia; Jacket Designer: Juhi Sheth; DTP Designer: Rakesh Kumar; Jackets Editorial Coordinator: Priyanka Sharma; Managing Jackets Editor: Saloni Singh; Index: Helen Peters; Proofreading: Victoria Pyke.

The publisher would like to thank the following for their kind permission to reproduce their photographs:

(Key: a-above; b-below/bottom; c-center; f-far; l-left; r-right; t-top)

10 Shutterstock.com: gillmar (crb). **14 Getty Images:** Barcroft Media / Feature China (cb). **19 Dreamstime.com:** Sdecoret (cra). 23 123RF.com: angellodeco (cra). **27 Science Photo Library:** Michael J Daly (cra). **31 Dreamstime.com:** Photka (br). **35 Alamy Stock Photo:** Minden Pictures / Buiten-beeld / Otto Plantema (br). **46 Getty Images / iStock:** PARETO (br). **50 Alamy Stock Photo:** Dino Fracchia (clb); Science Photo Library / Alfred Pasieka (crb). **Science Photo Library:** Biografx / Kenneth Eward (cb). **51 Depositphotos Inc:** NASA.image (cra). **55 Dreamstime.com:** Monkey Business Images (br). **62 Shutterstock.com:** Shin Okamoto (crb). **67 Dreamstime.com:** Imtmphoto (br). **70 Dreamstime.com:** Paul Reid (cr). **75 Dreamstime.com:** Southl2th (bc). **79 Alamy Stock Photo:** SWNS (cr). **83 Alamy Stock Photo:** Cultura Creative RF / Monty Rakusen (cra). **94 Alamy Stock Photo:** John Bentley (tr). **97 Dorling Kindersley:** Science Museum, London / Dave King (br). **98 Alamy Stock Photo:** Maria Galan Clik (bc). **103 Dreamstime.com:** Seadam (bc). **115 Alamy Stock Photo:** Naeblys (bc). **117 Alamy Stock Photo:** Science History Images / Photo Researchers (crb). **118 Alamy Stock Photo:** Science History Images / Photo Researchers (tr)

All other images © Dorling Kindersley

For further information, see: www.dkimages.com